Byd a Bywyd
Caradog Prichard
1904-1980

Bywgraffiad Darluniadol

Byd a Bywyd
Caradog Prichard
1904-1980

Bywgraffiad Darluniadol

gan

J. Elwyn Hughes

Cyhoeddiadau Barddas
2005

ⓗ J. Elwyn Hughes

Argraffiad cyntaf: 2005

ISBN 1-900437-71-6

*Cyhoeddwyd gyda chymorth ariannol
Cyngor Llyfrau Cymru*

Lluniau'r clawr:

Ar y chwith:
John Pritchard, tad Caradog Prichard
Clawr *Cerddi Caradog Prichard – Y Casgliad Cyflawn*
Caradog yn gwisgo Coron Lerpwl, 1929

Yn y canol:
Clawr *Un Nos Ola Leuad*
Caradog Prichard yn 1962

Ar y dde:
Margaret Jane Pritchard, mam Caradog
Clawr *Afal Drwg Adda*
Mattie Prichard

Cyhoeddwyd gan Gyhoeddiadau Barddas
Argraffwyd gan Wasg Dinefwr, Llandybïe

Cyflwynedig
i
Mari Prichard
ac er cof am ei phriod,
Humphrey Carpenter

Cynnwys

ATODIADAU

Rhagair

Oddeutu deunaw mlynedd yn ôl, cefais wahoddiad gan Gymdeithas Celfyddydau Gogledd Cymru i lunio cyfrol ar Garadog Prichard yn y gyfres 'Bro a Bywyd'. Trueni na fyddai amgylchiadau wedi caniatáu i mi allu bod wedi manteisio ar y cyfle yr adeg honno (a sawl cyfle arall wedi hynny, mewn gwirionedd) i fwrw ati i groniclo hanes bro a bywyd un o gewri Cymraeg pwysicaf yr ugeinfed ganrif, gan y byddwn wedi gallu elwa'n sylweddol ar dystiolaeth a gwybodaeth ei briod, Mattie, i lenwi ambell fwlch neu roi rhagor o oleuni ar ambell stori 'anorffenedig'.

Fodd bynnag, a hithau'n ganmlwyddiant geni Caradog ar Dachwedd 3, 2004, ar anogaeth fy nghyfaill, y Prifardd Alan Llwyd, dyma fwrw ati, o'r diwedd, i geisio gosod y bardd, y llenor a'r newyddiadurwr pwysig hwn, trwy gyfrwng gair a llun, yng nghefndir y fro a garai gymaint. Ni lwyddais i gyhoeddi'r gyfrol o fewn blwyddyn canmlwyddiant ei eni, gan i'r ymchwil, o reidrwydd, fod yn hir a manwl – a'm harwain ar drywydd sawl sgwarnog eithriadol o ddiddorol! Fodd bynnag, wedi'r holl chwilio a'r holi a'r stilio, roedd llawer o'r darganfyddiadau a chanlyniadau'r gwaith ditectif yn wefreiddiol a chyffrous.

Er i'r gyfrol hon ddechrau ar ei thaith fel un arall yn y gyfres 'Bro a Bywyd', teimlwyd bod natur a phatrwm y gwaith, wrth iddo ddatblygu, wedi mynd i gyfeiriad ychydig yn wahanol. O'r herwydd, penderfynwyd na fyddai *Byd a Bywyd Caradog Prichard* yn rhan o'r gyfres, er bod y gyfrol yn pwyso'n drwm ar ddefnyddio lluniau i atgyfnerthu'r straeon mewn sawl man.

Benthycwyd lluniau o nifer o ffynonellau. Gwaetha'r modd, ni lwyddwyd i ddod o hyd i berchennog yr hawlfraint ym mhob achos ac ymddiheurir yn llaes os oes llun wedi'i ddefnyddio heb ganiatâd.

Mae'n rhaid i mi bwysleisio na fu'n fwriad gennyf drafod gwaith Caradog Prichard – mae hynny wedi cael ei wneud mor drylwyr gan feirniaid llenyddol galluog megis Alan Llwyd, Menna Baines, Dafydd Glyn Jones, John Rowlands, Gerwyn Williams, ac eraill. Mae cyfrol Menna Baines, Bangor, ar waith Caradog Prichard yn y wasg adeg ysgrifennu hyn o eiriau ac er mai canolbwyntio ar agweddau ar ei waith a wna hi, gwn ei bod hithau, hefyd, wedi bod yn ceisio codi'r caead ar gyfrinachau'r gorffennol yn hanes Caradog Prichard.

Roedd nifer o elfennau a gyfrannodd yn sylweddol tuag at wneud fy ngwaith gymaint â hynny'n haws. Yn y lle cyntaf, cefais y fraint ddiamheuol o fod wedi adnabod Caradog, a'i briod, Mattie. Mwynheais eu cwmni droeon naill ai yn y Tŷ Gwyn yn Llundain, ym Mryn Awel, Llanllechid (eu lloches dros dro yn Nyffryn

Ogwen) neu yn fy nghartref i fy hun. Byddai'r sgwrsio'n ddifyr a'r straeon yn llifo. Er y byddai ambell stori wedi'i chroniclo eisoes yn un o gyhoeddiadau Caradog, yr hyn sy'n werthfawr heddiw ydi'r manylion 'atodol' hynny a ychwanegai Caradog, neu Mattie, wrth adrodd ambell stori ar lafar. Fel y gellid disgwyl, o ran chwilota am fanylion bywgraffyddol, pwysais yn drwm ar *Afal Drwg Adda, Y Rhai Addfwyn, Coronau a Chadeiriau,* ac *Un Nos Ola Leuad,* yn ogystal ag ar bapurau a llythyrau Caradog Prichard (a gedwir yn y Llyfrgell Genedlaethol) a'i erthyglau i wahanol gyhoeddiadau. Yn aml iawn, gadewais i Garadog ei hun ddweud ei stori – a phwy well gan y collid cymaint wrth geisio aralleirio.

Yn ail, rydw i wedi bod yn hynod ffodus i fod â chysylltiad agos â'u merch hynaws, Mari, a'u mab-yng-nghyfraith hawddgar, Humphrey Carpenter. Wrth baratoi'r gyfrol hon, cefais groeso cynnes ar eu haelwyd yn Rhydychen a phob rhwyddineb i chwilota ymhlith lluniau a phapurau Caradog a chaniatâd parod i ddewis toreth o ddeunyddiau perthnasol i'w cynnwys yn y gwaith hwn. Gyda gofid y mae'n rhaid cofnodi i Humphrey farw'n ddisymwth a chynamserol yn 58 oed ar Ionawr 4, 2005.

At hyn oll, bûm yn rhyfeddol o lwcus i fod â nifer o gyfeillion chwilotgar a chwilfrydig a gymerai ddiddordeb rhyfeddol o fyw ac ymarferol yn f'ymchwil (gan gynnwys dieithriaid o bell ac agos – yng Nghymru, dros y ffin a thramor – a ddaeth i gysylltiad â mi i gyfrannu pytiau o wybodaeth).

Yn olaf, nid oes unrhyw amheuaeth na fu'r ffaith fy mod wedi fy ngeni a'm magu yn Nyffryn Ogwen yn gaffaeliad amhrisiadwy. O adnabod bro Caradog Prichard mor dda, llwyddais i elwa'n sylweddol ar fy nghysylltiadau lleol ac ar fy ngwybodaeth am bobl a hanes a chefndir yr ardal.

J. Elwyn Hughes
Dydd Gŵyl Ddewi, 2005

Cydnabyddiaeth

Byddai'r cyhoeddiad hwn yn llawer tlotach heb gymorth a chydweithrediad nifer sylweddol o bobl. Dymunaf ddatgan fy niolch diffuant i'r rhai a nodir isod am fy nghynorthwyo gyda sawl agwedd ar yr ymchwil.

Yn y lle cyntaf, mae'n rhaid i mi gydnabod cyfraniad amhrisiadwy Mari Prichard (merch Caradog a Mattie) a'i diweddar briod, Humphrey Carpenter. Bu perthnasau eraill i Garadog Prichard yn hael eu cymorth hefyd: William Emyr Morris-Jones, Bangor, Ceri Evans, Pwllheli, ac Elizabeth Atwood, Vermont, America.

Gwen Davies, Tanysgafell; Gwyn a Christine Edwards, Douglas Arms Hotel (lle gellir gweld Cadair Talysarn, 1926); Catherine Evans (perchennog presennol Llwyn Onn lle ganed Caradog Prichard); Elsie Evans, Pant; Eluned Jones, Pant; Richard a Jennie Jones, Ffordd Bangor; Edward Oliver, Mynydd Llandygái; André Lomozik, Rhos y Coed; Alun Llwyd (Prifathro Ysgol Dyffryn Ogwen); Beryl Orwig, Braichmelyn; Joe Owen, Tre'garth; Ithel Owen, Pen Rhiw; Dyddgu Owens, Rhiwlas; Emyr Parry, Rhos y Nant; Rhiannon Roberts, Coed Isa'; Ann E. Williams, Rachub; Stanley Williams, Rachub; Violet a Phyllis Williams, Adwy'r Nant; Dr John Llewelyn Williams, Ffordd Bangor; Y Prifardd Ieuan Wyn (a fagwyd yn Llwyn Onn) – i gyd o Ddyffryn Ogwen a'r cyffiniau.

William Parry, Y Fron; Wyn a Margaret Hamer, Rhosgadfan; Margaret Griffith, Eileen Hughes, Meirion Jones, Osmond William Shaw a Jennie Williams (y pump hyn o Ddeiniolen); Megan Lloyd, Carmel; John Morris Jones, Bontnewydd; David Lloyd Rees, Tal-y-sarn; Llinos C. Davies, Alun Wyn Griffith; Cledwyn Williams (y tri hyn o Lanrug); Gwyn Davies ac Arthur Ellis, Y Waunfawr; Iestyn ac Angharad Harris, Y Felinheli; Catrin Siôn; Ifor Williams (y ddau o Lanfaglan); John H. Griffith, Tom Griffith, William Edwards, T. Meirion Hughes, Gwenda Williams a Peter R. Williams (y chwech hyn o Gaernarfon); Staff Archifdy Caernarfon a Dylan Rowlands, yn arbennig.

Dafydd Guto Ifan, Glasgoed; Emyr Jones a Thomas Alun Jones; Kate Jones; Eirlys Sharpe; Steven Jones; Gwynfor ac Edwina Wyn Morris; Huw a Ceri Salisbury; Y Parchedig Geraint S. R. Hughes (Gweinidog yr Eglwys Unedig ym Methesda); Gwyneth Price; Gwyndaf Williams – i gyd o ardal Bethel (Arfon) a'r cyffiniau.

Bryn Hughes, Prif Arolygydd Mynwentydd Gwynedd; Maldwyn Hughes, Minffordd, Bangor; Jean Hughes, Tal-y-bont, Bangor; Meinwen Parry, Bangor; Edmond Douglas Pennant, Llandygái; Gareth W. Ll. Jones, Bangor.

Mr a Mrs David Roberts, Beaumaris; Gwen Thomas, Bae Cemaes (am hanes a lluniau Bob Jervis); Dr Ffrancon a Thelma Morris, Llandegfan; Nêst Jones, Llanfairpwllgwyngyll, ac Ann a Geraint Williams, Llansadwrn – i gyd o Ynys Môn.

Hafina Clwyd, Rhuthun; Glyn Jones (Siop Bygones, Betws-y-Coed); Trefor Jones, Pat Rowley a Mair Ellen Williams, y tri hyn o Lanrwst; Silyn Jones ac Olwen Roberts, Dinbych (mab a merch y diweddar Gwilym R. Jones); Gwyn Roberts (Ffotograffydd, Dwygyfylchi); Dyfrig Thomas, Y Rhyl; Nan Williams, Llanddoged; Clwyd Wynne, Dinbych.

Ruth Jones a Gavin Jones, Cwmni Teledu Antena; Wyn Thomas, Ffilmiau Tawe; Carol Boden, Adran Gymraeg Llyfrgell Ganolog Caerdydd; Ann Ffrancon Jenkins, Stewart Williams, Y Barri; Dafydd Ifans a staff yr Ystafell Ymchwil yn y Llyfrgell Genedlaethol.

Eira Rooks, Derby (merch John Peter Williams); Bryn Gwyndaf Jones, Llundain; Brian L. Probetts. Sussex; Eryl Mai Devine, De Affrica; Hans van Heusden, Yr Iseldiroedd; Yr Arglwydd Gwilym Prys Davies, Ton-teg; Yr Arglwydd Elsytan Morgan, Aberystwyth; Y Weinyddiaeth Amddiffyn, Llundain.

Diolchaf yn arbennig i Arthur a Wendy Owen, Llangefni, Nia Llwyd, Rhiwlas, ac Emyr Owen, Y Felinheli, am dreulio oriau yn fy nghynorthwyo gyda gwahanol agweddau ar y gwaith, ac i Iwan Hughes, Rhuthun, am ddilyn sawl trywydd ar fy rhan yn frwd ac eiddgar, gan ddod o hyd i rai ffeithiau a lluniau allweddol yng Nghymru ac yn America.

Cyn cloi, hoffwn ddiolch yn ddiffuant i Alan Llwyd am ei hir amynedd yn disgwyl i mi droi at y gwaith hwn yn y lle cyntaf, am ei anogaeth gyson i fwrw ati ac am ei gefnogaeth ysgogol yn ystod cyfnod yr ymchwilio a'r ysgrifennu. Gwnaeth Eddie John, a'i gydweithwyr yng Ngwasg Dinefwr, waith rhagorol o ran argraffu'r gwaith ar gyfer ei gyhoeddi.

Yn olaf, dymunaf gydnabod fy nyled i'm gwraig, Deilwen, i'm meibion, Gwyndaf, Garmon a Siôn Elwyn, a'm merch, Manon Elwyn, am bob cefnogaeth a chymorth drwy gydol y daith.

J. Elwyn Hughes

PENNOD 1

Cefndir

Roedd blynyddoedd olaf y bedwaredd ganrif ar bymtheg yn gyfnod o gyni a thlodi, o ddioddef a chaledi yn Nyffryn Ogwen. Roedd pethau'n ddrwg yn Chwarel y Penrhyn a'r anghydfod rhwng meistr a gwas wedi gwaethygu a dirywio'n ddifrifol. Roedd perchennog y gwaith, George Sholto Douglas Pennant, ail Arglwydd Penrhyn Llandygái, hefyd yn berchennog ar y rhan fwyaf o dai a thir yr ardal. Roedd ef a'i asiant, A. E. Young, yn sefyll yn gadarn a diysgog yn erbyn unrhyw gyfaddawd a chymod, a'r dynion, hwythau, yr un mor benderfynol o gael eu maen i'r wal i gael gwell amodau gwaith a'r hawl i leisio cwynion drwy bwyllgor.

Yn 1896-97, bu streic a barhaodd am un mis ar ddeg, streic a effeithiodd ar unigolion, teuluoedd a busnesau yn yr ardal. Pan ddaeth y streic honno i ben, nid oedd y chwarelwyr fymryn nes i'r lan; yn wir, amlhaodd eu trafferthion a chynyddodd yr anfodlonrwydd a'r anniddigrwydd nes cyrraedd y penllanw anochel pan dorrodd y Streic Fawr a oedd i bara am dair blynedd gron, rhwng 1900 a 1903.

O fewn oddeutu blwyddyn ar ôl diwedd y Streic Fawr ym mis Tachwedd 1903, roedd y Diwygiad Methodistaidd yn ysgubo'i ffordd drwy Gymru ac yn ymweld â thrigolion y gymdeithas hollt yn Nyffryn Ogwen. Ac er y gellid haeru i'r cynyrfiadau 'crefyddol' hynny a brofwyd drwy'r ardal fod yn gyfrwng i asio ambell rwygiad a grëwyd o fewn y gymdeithas friw ym Methesda a'r cyffiniau, arhosodd cysgod a dylanwad y chwalfa gyntaf yn gryf a pharhaol ar drigolion y fro.

Bethesda gydag Eglwys Glanogwen yn y canol, Capel Jerusalem (MC) yn y gornel dde isaf a rhan o'r Lôn Bost ar yr ochr dde

Y Dyddiau Cynnar

Yng ngeiriau Caradog Prichard: 'Y cynyrfiadau ysgytiol yn f'ardal i oedd Streic Fawr Chwarel y Penrhyn a'r Diwygiad – dau gynnwrf y mae ôl eu galanas ysbrydol yn aros ar yr ardal hyd heddiw. Ac rwy'n siŵr hefyd fod y galanas hwnnw wedi chwarae'i ran yn ystumio fy natur a 'mhersonoliaeth innau, a genhedlwyd yn ei ganol . . . Yn sgîl ac adlais y ddwy ddaeargryn yma y ganwyd fi ym Mhen y Bryn.'

Llwyn Onn, Pen-y-bryn, Bethesda. Dyma'r tŷ lle ganed Caradog Prichard
a lle treuliodd ei flynyddoedd cynnar

Llwyn Onn oedd enw'i gartref ar Allt Pen-y-bryn ym Methesda, 'tŷ a gardd helaeth y tu ôl iddo'. Er i Garadog gredu bod Llwyn Onn '. . . wedi'i fildio'n solat a chymen gan ddwylo a meddwl crefftus fy Nhaid', mae hynny'n bur annhebygol gan nad oedd ei deulu'n byw yno yn 1891, yn ôl cyfrifiad y flwyddyn honno. Yr hyn sy'n fwy tebygol yw fod Griffith a Margaret (rhieni Margaret Jane, mam

Caradog) wedi symud o 2 Tanybwlch, Mynydd Llandygái, lle'r oeddynt hwy a'u plant yn byw yn 1891, i Lwyn Onn yn fuan ar ôl 1891.

Stryd Tanybwlch, Mynydd Llandygái. Magwyd Margaret Jane, mam Caradog,
yn yr ail dŷ sydd ar ochr dde'r llun (gyda rhan o'r tŷ cyntaf yn unig yn y golwg)

Wedi i'r teulu symud i Lwyn Onn y cyfarfu Margaret Jane â John (a oedd yn byw dros y ffordd, fwy neu lai) ac mae'n bur sicr iddynt ymgartrefu gyda'i rhieni hi ar ôl iddynt briodi ar Ionawr 17, 1896, yn Swyddfa'r Cofrestrydd ym Mangor. Tŷ dan rent oedd Llwyn Onn ac yma y magodd John a Margaret Jane Pritchard eu teulu.

Mae'n siŵr y bydd pob darllenydd craff wedi sylwi mai *Pritchard* oedd cyfenw rhieni Caradog, a dyna'r ffurf a ddefnyddid gan bob aelod arall o'r teulu – ac eithrio Caradog! Dadleuai ef fod *Prichard* yn sillafiad mwy 'Cymreig' a mabwysiadodd y ffurf honno yn gynnar iawn yn ei yrfa fel newyddiadurwr a bardd.

Teulu Caradog Prichard

Roedd Margaret Jane wedi ei magu yn Rhif 2 Tanybwlch, Mynydd Llandygái, pentref bychan ar y llethrau uwchlaw Bethesda. Hi oedd yr ieu-engaf o bump o blant a aned i Griffith a Margaret Williams. Ganed hi ar Orffennaf 15, 1875.

Daethai Griffith Williams i Ddyffryn Ogwen o gyffiniau Llangoed, Ynys Môn, lle'r oedd ei dad, John, yn gipar ar Stad Bulkley – dyna waith ei dad yn ôl Caradog yn *Afal Drwg Adda* ond fel 'gardener' y disgrifir ef ar dystysgrif priodas ei fab. Ganwyd Griffith ar Ragfyr 18, 1833, yn Llanfaes, ger Beaumaris. Fel llawer o rai eraill a groesodd o Fôn i'r tir mawr (ac a lifodd o Lŷn ac

Margaret Jane, mam Caradog

Eifionydd a mannau eraill, o ran hynny), dod i weithio i Chwarel y Penrhyn a wnaeth Griffith Williams.

Wedi cael gwaith yn Nyffryn Ogwen, cafodd Griffith Williams hefyd wraig yno. Priodwyd Griffith a Margaret (a aned yn 1835) ar Fawrth 12, 1859, yn

Chwarel y Penrhyn tua'r adeg pan ddaeth Griffith Williams i weithio yno

Eglwys y Santes Ann, Bethesda. Er mai Henry ac Elizabeth *Pritchard* oedd ei rhieni, Margaret *Parry* sydd ar y dystysgrif priodas a chaiff ei disgrifio fel 'spinster'. Mae'n debyg iddynt ddechrau eu bywyd priodasol yn stryd y Gefnan ym Mynydd Llandygái, cyn symud i 2 Tanybwlch. Mary oedd eu merch hynaf, a aned oddeutu 1861. Flwyddyn yn ddiweddarach, ganwyd John, ac wedi hynny Henry, Catherine a Margaret Jane. Priododd Catherine gyda Robert Parry o Dangadlas, Bethesda, ac fe briododd Mary gyda William James Brown, brodor o Seacombe, Sir Gaer, ac ymsefydlu yn Neiniolen.

Rhyw 'dderyn go frith oedd John, brawd hynaf Margaret Jane, ac ychydig iawn a wyddys amdano ac eithrio bod Caradog yn cyfeirio at ei Yncl Jack fel 'y cerddor ifanc disglair fu'n organydd Amana' (sef Capel yr Annibynwyr ym Mynydd Llandygái). Ond nid mor gymeradwy gan Garadog yr Yncl Jack a 'fyddai'n peri cymaint o ddychryn imi pan fyddai'n dod i dyngu a rhegi wrth ein drws ganol nos; Yncl Jack y diotwr na fedrai fforddio ei ddiod a gorfod marw yn Wyrcws Bangor.'

Yn dilyn ei phriodas â John Pritchard, ganed i Margaret Jane bedwar o feibion (a chredai Caradog fod baban marw-anedig hefyd wedi'i gladdu ym medd y teulu). Ganwyd William ym mis Mawrth 1897 ond bu farw ar Ebrill 26 yn bum wythnos oed. Yna, daeth Howell ('Hywel' gan Garadog ar adegau) i'r byd ar Awst 8, 1900, Glyn ar Ionawr 16, 1902, a Charadog ar Dachwedd 3, 1904. Mewn erthygl yn y *North Wales Weekly News*, Ionawr 24, 1974, edrydd Caradog hanesyn diddorol ynglŷn â sut y cafodd ef ei enw:

> Cofiaf fy mam yn dweud wrthyf fel y bu iddi hi a'm tad gytuno ar y ddau enw, John Roderick, i mi. Ond pan ddaeth fy nhad yn ôl o'r swyddfa gofrestru fe synnodd fy mam trwy ddweud ei fod wedi rhoddi'r enw 'Caradog' imi. A phan gafodd fy mam y newydd, fe dorrodd allan i feichio crio. Ni chefais erioed esboniad pam y newidiodd fy nhad ei feddwl ond, yn wir, rwy'n eitha diolchgar iddo gan fod yn llawer gwell gennyf yr enw a gefais.

Elizabeth Jane Roberts (Pritchard wedyn), sef 'Nain Pen Bryn', fel y galwai Caradog hi

Efallai fod John Pritchard wedi newid ei feddwl oherwydd mai 'John Roderick' oedd ei enw llawn ef ei hun (er bod lle i gredu na wyddai fawr neb, gan gynnwys Caradog, fod yr enw 'Roderick' yn enw 'teuluol' ar ochr ei dad. Gwaetha'r modd, ni wyddys pwy oedd y 'Roderick' cyntaf).

Wrth sôn yn *Afal Drwg Adda* am ei nain ar ochr ei dad, sef 'Nain Pen Bryn' (a fu byw 'nes bod bron yn gant oed'), dywed Caradog: 'Yr oedd iddi bedwar o feibion, Morgan, William, Robert a John, a dwy ferch, Jên a Leusa.' Yr oedd rhagor na hynny yn nheulu Elizabeth Jane Pritchard, mewn gwirionedd. Ni wyddai Caradog fod gan ei dad chwaer arall ac ni wyddai ychwaith am fab hynaf y teulu, Richard. Yn wir, yn *Afal Drwg Adda*, cyfeddyf Caradog, 'Ni allaf olrhain fy llinach ymhellach na'm taid ar un ochor a'm nain ar yr ochor arall.' Byddai Caradog wedi bod wrth ei fodd gyda'r wybodaeth sydd wedi dod i'r amlwg am ei deulu a byddai wedi rhyfeddu'n lân o gael hanes ei daid ar ochr ei dad.

Priodasai Elizabeth Roberts, nain Caradog, â chwarelwr o'r enw William Pritchard. Un o Lanrhychwyn, uwchlaw Trefriw, oedd William a hithau'n enedigol o blwyf Llanllechid yn Nyffryn Ogwen. Pen Rhiw, tŷ'n perthyn i'r Chwarel yn ôl pob tebyg, oedd eu cartref cyntaf yn yr ardal (lle ganed rhai o'r plant hynaf).

Pen Rhiw, cartref cyntaf William ac Elizabeth Pritchard yn Nyffryn Ogwen

Bryn Villa fel y mae heddiw. Ynghlwm wrth y tŷ hwn yr oedd y bwthyn bach, bellach wedi'i droi'n estyniad deulawr yng nghefn y tŷ mawr

Symudodd y teulu ymhen ychydig i 14 Pen-y-bryn – y 'bwthyn dwy stafell' lle byddai Caradog yn ymweld â'i Nain.

Cafodd William ac Elizabeth wyth o blant a gwelwn hwy yn y llun ar y dudalen nesaf gyda'u mam. Mae'n debyg i'r llun gael ei dynnu tua chanol y 1880au a'r teulu i gyd wedi dod at ei gilydd yn Stiwdio Amelius Clarke, ffotograffydd poblogaidd a phrysur tu hwnt a chanddo ef a'i fab stiwdio ar y Stryd Fawr ym Methesda ac un arall ym Mangor.

Ni wyddai Caradog ddim am ei daid, William (ddim hyd yn oed ei enw). Yr

Elizabeth Jane Pritchard a'i hwyth o blant tua chanol y 1880au.
Rhes gefn (o'r chwith): William Roderick, Elizabeth (Leusa), Richard, Morgan Roderick.
Yn y blaen: Robert, Jane, Elizabeth (Nain Pen Bryn), John Roderick (tad Caradog),
y ferch hynaf na wyddys ei henw

unig gyfeiriad cynnil sydd ganddo ato yn *Afal Drwg Adda* yw 'Cafodd Nain Pen Bryn amser caled yn magu ei thylwyth wedi iddi golli ei gŵr.' Roedd ei nain, meddai, yn 'hen wraig hynod o wydn a byddai'n ennill ei chynhaliaeth trwy olchi a manglio . . . a thrwy Nain y cafodd fy nhad ei lys-enw – Jack Bach Mangl.' Adleisiwyd hynny yn hanes mam Caradog, wrth gwrs – golchi, smwddio a manglio a wnâi hithau i gael arian i fagu ei theulu bach.

Yr hyn sy'n wirioneddol syfrdanol (a hynod gyd-ddigwyddiadol o gofio am yr hyn a ddigwyddodd i'w fab, John) yw'r wybodaeth sydd newydd ddod i'r golwg am y ffordd y bu William, taid Caradog, farw.

Yn *Baner ac Amserau Cymru*, Rhagfyr 21, 1870, darllenwn adroddiad yn dwyn y teitl 'Damwain Angheuol yn Chwarel Cae-Braich-y-Cafn':

> Prydnawn dydd Sadwrn, y 10fed cyfisol, fel yr oedd William Pritchard, Pen-y-bryn, ger Bethesda (brodor o Gapel Curig), 44 mlwydd oed, yn dilyn ei alwedigaeth yn y chwarel uchod, a hynny drwy daflu darn o'r graig, ryw fodd neu'i gilydd syrthiodd i lawr uchder o tuag ugain llath ac archollwyd ef mor drwm fel y bu farw ymhen pedair awr . . .
>
> Yr oedd Mr Pritchard yn aelod gwir gymeradwy gyda'r Trefnyddion Calfinaidd yn Jerusalem ac yn un a wir berchid gan ei holl gydnabod, fel dyn a phriod gwir hynaws, caredig a chrefyddol. Gadawodd briod ac wyth o blant i alaru eu colled am briod hynaws a darbodus a thad tirion a gofalus. Claddwyd ef ddydd Iau diwethaf ym Mynwent Glanogwen pryd y

daeth lliaws mawr o gyfeillion a chymdogion ynghyd i dalu eu cymwynas ddiweddaf iddo . . .

Cawn ffaith ddiddorol dros ben ynglŷn â sut y cafodd nain Caradog gymorth ariannol pan laddwyd William. Sefydlwyd cronfa gan R. Morris, un o brif oruchwyl-wyr y chwarel, i gynorthwyo'r teulu trallodus a rhoddodd ef ei hun bunt i ddechrau'r casgliad. Dyma'r tro cyntaf erioed i gasgliad fel hyn gael ei wneud drwy'r chwarel gyfan a gobeithiai gohebydd *Baner ac Amserau Cymru* y byddid yn mabwysiadu arfer o'r fath dan amgylchiadau tebyg yn y dyfodol.

Gellid dychmygu mai tlawd a llwm oedd byd Elizabeth Pritchard wrth iddi frwydro i fagu'i thyaid o blant yn y bwthyn bach dwy 'stafell ym Mhen-y-bryn.

Er na wyddom ddim am hanes eu magu, gwyddom hanes y rhan fwyaf ohonynt wedi iddynt adael cartref. Erbyn 1891, William a John yn unig oedd yn byw yn y cartref gyda'u mam a buont hwy'n gweithio yn Chwarel y Penrhyn drwy gydol eu hoes waith. Aethai Morgan a Robert i Awstralia i chwilio am aur ac ni wyddys dim o'u hanes hwy. Mae'n debyg i'r ferch hynaf adael cartref yn bur ifanc i fynd i weini a dyna hefyd a ddigwyddodd i Jane ac Elizabeth.

Jane Pritchard, 'Anti Jên' Caradog, chwaer ei dad

Jane Pritchard yw'r 'Anti Jên' a oedd yn byw y drws nesaf i Llwyn Onn, lle magwyd Caradog Prichard. Ychydig a ddywed Caradog amdani ac eithrio bod ei gŵr yn un o deulu Tŷ Mwyn (bwthyn bychan a godwyd ger gwaith mwyn heb fod nepell o lan Afon Ogwen) a'i bod yn wraig addfwyn a charedig tu hwnt. Ganed hi yn 1854 a phriodasai â chwarelwr uniaith Gymraeg o'r enw Owen Williams. Ganed eu mab, Thomas John, yn 1884, ac roedd yntau'n gweithio yn Chwarel y Penrhyn yn fachgen ifanc iawn.

Byddai Caradog yn ei seithfed nef yn ymweld â Thŷ Mwyn ar Allt Pen-y-bryn: 'Roedd ogla hyfryd mwg sigaréts yn Nhŷ Anti Jên bob amser. Mae'n rhaid fod Tomi 'nghefnder yn smociwr trwm. A rhwng yr ogla da a'r gwres o'r grât a blas hyfryd y frechdan a'r sicrwydd fod presant pen-blwydd imi ar ei ffordd o'r gegin gefn, roeddwn yn y Nefoedd.' Anti Jên a roes iddo'r 'afal mwya melyn ac aeddfed a melys ei olwg a welais i 'rioed . . . A chael siom gynta 'mywyd. Roedd rhyw bigfelen farus wedi bod yn tyrchu yn yr afal ac roedd twll mawr ynddo, yn llawn pydredd meddal . . .' Y digwyddiad hwn a roes y syniad i Garadog am deitl ei hunangofiant, *Afal Drwg Adda*.

Roedd Elizabeth (neu Leusa) Pritchard wedi ymsefydlu ym Manceinion ond yn dal i ymweld yn gyson â'i mam ym Methesda. Ganddi hi y cafodd Caradog 'strap

Elizabeth (Leusa) Pritchard, chwaer arall i dad Caradog

llyfrau'n bresant . . . am basio'r sgolarship.' Roedd gan Leusa ddwy ferch – Margaret a Lizzie. Ceri Evans oedd merch Margaret a chadwai Caradog gysylltiad agos â'r ail-gyfnither hon ym Mhwllheli. Ysgrifennodd lythyr hyfryd ati pan fu farw ei mam ym mis Gorffennaf 1970: '. . . She [sef Margaret] and her mother [Leusa] have always been associated in my memory with the few sunshine spots of childhood. I have never forgotten the joy with which I used to discover them on visits from Manchester to Tŷ Nain in Penybryn. And as old age approaches one is inclined to feed greedily on those happy faraway memories'. Ac am fam Ceri:

As for your mother, I must have fallen in love with her when I was about eight or ten – she would have been about 25 then – and I thought she was the most beautiful woman I had ever seen – there were about a half dozen such beautiful women in my life at that age. But as far as she was con-cerned, that childhood impression of her beauty never left me.

Ganed Richard, brawd hynaf John (tad Caradog), ar Awst 2, 1860, ym Mhen Rhiw, plwyf Llanllechid, Dyffryn Ogwen. Ar Ionawr 11, 1884, yng Nghapel Jeru-salem (MC), Bethesda, priododd ag Elizabeth Ann (merch Rees ac Ann Jones, Bethesda, a aned ar Fehefin 19, 1860).

Yn ôl Cyfrifiad 1901, roedd Richard a'i briod yn byw yn 57 Pen-y-bryn, Bethesda, gyda'u dwy ferch: Margaret (Maggie) yn 13 oed (ganed Gorffennaf 10, 1887) a Sarah (Sallie) yn 5 oed (ganed Mehefin 4, 1895). Roedd Ann Elizabeth, eu merch hynaf, a aned ar Dachwedd 17, 1884, yn amlwg wedi gadael cartref erbyn hynny – bu hi'n gweithio i Mrs Gilbert, priod y Gilbert ym mhartneriaeth enwog Gilbert a Sullivan. Ymfud-odd i America yn 1909 a dilynwyd hi yn 1914 gan ei dwy chwaer, Margaret (a'i phlentyn bach, Emrys) a Sarah. Roedd gŵr Margaret newydd gael ei ladd yn y Rhyfel Mawr yn Ffrainc y flwyddyn honno.

Richard Pritchard, brawd hynaf John (tad Caradog) a ymfudodd i'r Unol Daleithiau yn 1907

Roedd Richard ac Ann Pritchard eisoes wedi croesi'r môr i America yn 1907 ac, ar ôl bod yn Newfoundland, Pennsylvania, ac Efrog Newydd, eu dewis oedd ymsefydlu yn Poultney yn nhalaith Vermont. Bu Richard yn gweithio mewn chwarel yno, yn ôl ei wyres, Elizabeth Atwood (merch Ann Elizabeth), sy'n dal i fyw yn yr un ardal yn America. Collodd Richard ei wraig ddechrau Medi 1933 yn 73 oed a bu yntau farw'n dilyn gwaeledd byr ddiwedd Hydref, 1948, yn 88 oed. Claddwyd y ddau ym Mynwent Poultney, Vermont.

Mae'n rhyfedd na wyddai Caradog ddim o hanes brawd hynaf ei dad.

William Roderick Pritchard, brawd arall John Pritchard

Ganed William tua 1866 a bu'n chwarelwr yn Chwarel y Penrhyn ar hyd ei oes. Priododd ag Ellen a buont yn cadw Tŷ Capel Pen-y-groes, Tre-garth, ger Bethesda, ar un adeg (ac yntau'n parhau i weithio yn y Chwarel, wrth gwrs). Bu farw Ellen ar Ebrill 3, 1934, yn 66 oed, a William ar Dachwedd 27, 1948, yn 82 oed. Claddwyd y ddau ym Mynwent Eglwys St Mair, Y Gelli, Tre-garth, yn yr un bedd â'u merch, Elizabeth, a fuasai farw Hydref 15, 1895, yn flwydd a mis oed. Ganed iddynt ferch arall, Laura, a briododd â William Morris Jones.

Roedd Caradog a mab William ac Ellen, sef William Emyr, yn cadw cysylltiad agos iawn â'i gilydd dros y blynyddoedd. Byddai Caradog a

Tair cyfnither Caradog Prichard.
Laura (merch William Roderick a mam William Emyr) ar y dde
gyda dwy ferch Leusa, sef Margaret (mam Ceri), a Lizzie (yn y canol),
yng ngardd Nain Pen Bryn, Awst 1921

Mattie, pan ddeuent am dro i Ddyffryn Ogwen, yn hoff iawn o alw ar William Emyr a'i briod, Glenys, a'u pedwar plentyn, Berwyn, Emyr, Nia a Bethan. Gweler isod gopi du a gwyn o'r llun dyfrlliw o Garadog a wnaeth Berwyn pan oedd yn ddisgybl ysgol uwchradd.

Arluniad Berwyn Morris-Jones o Garadog Prichard

John Pritchard, tad Caradog

John Roderick Pritchard,
tad Caradog

John Roderick oedd yr ieuengaf o wyth plentyn William ac Elizabeth Pritchard. Ganed ef ar Hydref 1, 1870, a threuliodd ei holl oes weithio yn greigiwr yn y twll yn Chwarel Cae-braich-y-cafn (sef yr hen enw ar Chwarel y Penrhyn).

Chwarel y Penrhyn oedd chwarel lechi fwyaf y byd. Yn 1784 y dechreuwyd cloddio am lechi ar raddfa fasnachol ar lethrau mynydd y Fronllwyd yn Nyffryn Ogwen. Richard Pennant (un o Lerpwl a chanddo deitl Gwyddelig, yr Arglwydd Penrhyn o County Louth) fu'n gyfrifol am y fenter a chloddiwyd yn ddyfnach ac yn ddyfnach i grombil y mynydd drwy weithio ar batrwm grisiau (ponciau, a rhoi iddynt eu henwau priodol). Ffurfiwyd oddeutu deg ar hugain o'r ponciau hyn yn y chwarel, pob ponc â'i henw'i hun, nes creu golygfa a wnâi i rywun feddwl am amffitheatr Rufeinig. Roedd pob ponc oddeutu trigain troedfedd o uchder wrth ryw bum troedfedd ar hugain o ddyfnder – ac ysgolion hirion a rhaffau a ddefnyddiwyd i'w dringo ac i weithio ar y clogwyni. 'Bargan' y chwarelwr fyddai rhan o'r bonc a'r clogwyn yn mesur rhyw chwe llath o hyd a byddid yn bargeinio am bris y llechfaen yn ôl ansawdd y graig. Byddai'r creigwyr yn y twll yn gyfrifol am saethu'r graig ac anfon y cynnyrch i'r chwarelwyr yn y siediau ar 'y lan'. Yno, byddid yn hollti ac yn naddu'r llechfaen yn llechi toi o wahanol faintioli. Mae'n werth nodi yma mai'r chwarelwyr eu hunain fyddai'n gyfrifol am brynu eu holl offer gwaith, gan gynnwys hyd yn oed y powdwr du i saethu'r graig, ac ar ambell ddiwrnod tâl, byddai rhai chwarelwyr, yn hytrach na derbyn cyflog, mewn dyled i'r oruchwyliaeth am eu celfi a'u powdwr.

Roedd peryglon amlwg yn wynebu pob chwarelwr. Ar wahân i fygythiad gwirioneddol yr afiechyd dychrynllyd hwnnw, silicosis, roedd damweiniau'n digwydd yn feunyddiol, a rheolaidd, yn y Chwarel, rhai ohonynt yn rhai y gellid eu galw'n 'fân ddamweiniau', eraill yn rhai difrifol, ac ambell un yn angheuol. O 1784

Saethu yn Chwarel y Penrhyn. Ar ôl 1855, er mwyn ceisio gostwng nifer y damweiniau, dechreuwyd saethu bob awr, ac ar yr awr, yn y Chwarel, a hynny mewn nifer o wahanol rannau ar bob un o'r ponciau. Byddai dirgryniadau'r saethu yn ymledu ar hyd yr haenau llechfaen i bellafoedd yr ardal a byddai'r sŵn mor fyddarol â chyfres gyflym o'r taranau mwyaf nerthol

ymlaen, pan agorwyd y twll enfawr i berfeddion y Fronllwyd, lladdwyd dros 400 o ddynion wrth eu gwaith yn Chwarel y Penrhyn – ac o leiaf ddau ohonyn nhw o blith teulu Caradog Prichard.

Ar Bonc Fitzroy y gweithiai John Pritchard. Fel creigiwr, treuliai ran go dda o'i ddiwrnod yn dringo i fyny ac i lawr wyneb y clogwyni ar raff. Wedi cael hyd i le

John Pritchard (ar y chwith) a dau gydweithiwr

priodol, byddai'n crogi ar y rhaff i dyllu droedfeddi i ganol y graig er mwyn cael twll pwrpasol i'w lenwi â phowdwr du i saethu'r llechfaen yn rhydd. Byddai wedyn yn trin darnau mawr o lechfaen a geid o'r saethu i'w torri'n ddarnau llai i'w hanfon i gael eu hollti a'u naddu yn y siediau ar y lan.

Ac ar Bonc Fitzroy y digwyddodd y trychineb hwnnw y bu ei ganlyniadau mor erchyll a phellgyrhaeddol. Ar Ebrill 4, 1905, pan nad oedd Caradog ond pum mis oed, lladdwyd ei dad yn y chwarel. Roedd yn 34 oed.

Mewn llawysgrif sydd yn fy meddiant, 'Lladdedigion Chwarel y Penrhyn', adroddir fel a ganlyn am y ddamwain (ac fe sylwir bod ambell lithriad yn yr adroddiad hwn):

Case 364

John Pritchard, 21 Pen-y-Bryn (Llwyn Onn), Bethesda
Age 33. Married. Occupation: Quarry man. Quarry No. 134

The accident took place at Fitzroy Gallery on April 4th, 1905

He and his journeyman were standing opposite the bargain, talking about a proposed bore hole when they heard a sudden outcry of warning and almost

Ponc Fitzroy, a ddangosir gyda'r saeth, lle lladdwyd John Pritchard

instantly John Prichard was struck in his head by a stone that had rolled over from one of the galleries above where a man was 'slopping' the old rubbish heap. Killed instantaneously. Inquest held on April 6th, 1905, at Quarry Hospital. Verdict: Accidental Death.

Fel hyn yr adroddwyd am y ddamwain yn *Y Genedl Gymreig*, ddydd Mawrth, Ebrill 11, 1905:

DAMWAIN ANGHEUOL. – Dydd Mawrth diwethaf, cyfarfu Mr John Pritchard, Penybryn, â damwain angheuol tra'n dilyn ei alwedigaeth yn Chwarel y Penrhyn. Ymddengys oddi wrth y dystiolaeth a roddwyd yn y cwest fod y trancedig wedi mynd at ei waith yn ei fargen cyn i'r gloch ganu'r amser i ddechrau gweithio, a thra oedd dynion eraill, a chanddynt hawl i weithio, heb orffen 'taflu i lawr' mewn ponc uwchlaw iddo; a dywedir i garreg ddisgyn oddi wrth y rhai hynny, a tharo'r trancedig yn ei ben nes ei hollti yn ei ganol a'i ladd yn y fan . . . Cynhaliwyd trengholiad o flaen y dirprwy-grwner, Mr D. G. Davies, cyfreithiwr, ac yr oedd Mr G. J. Williams, arolygydd y chwarelau yn bresennol, a bu ef a'r crwner yn y chwarel yn gweld y fan y digwyddodd y ddamwain. Pasiwyd pleidlais o gydymdeimlad â'r teulu yn eu profedigaeth.

Uwchben Ponc Fitzroy yn y llun ar y dudalen flaenorol, mae Ponc Sinc Bach – o'r bonc honno y syrthiodd y garreg ar ben John Pritchard. Yn *Afal Drwg Adda*, mae Caradog yn nodi iddo gael stori sydd fymryn yn wahanol, sef bod ei dad a'i bartner 'wedi bod yn gweithio ar y graig trwy'r bore. Pan ddaeth yn ganiad awr ginio, daethant i lawr oddi ar y rhaff a cherdded ar hyd y bonc at y caban cinio. Ar y ffordd, tynnodd fy nhad ei getyn o'i boced, arhosodd ennyd a gwyro i danio matsen ar y graig. A'r foment honno, cwympodd crawen o'r bonc uwchben a'i daro'n gelain.' Sut bynnag y digwyddodd pethau, fe adawyd ar ôl weddw a thri o feibion ifanc iawn – Howell yn bedair oed, Glyn yn dair oed a Charadog yn bum mis oed.

A dyna hanes yn cael ei ailadrodd. Pan laddwyd William Pritchard (taid Caradog) yn Chwarel y Penrhyn, doedd ei fab ieuengaf, John, ond ychydig fisoedd oed. Ac felly Caradog pan laddwyd John, ei dad yntau, yn yr un chwarel.

'Cafodd Mam ddau gant o bunnau o iawndal gan y Lord am fywyd fy Nhad a buan y llyncwyd yr arian yn bwydo a dilladu tri o blant.' Methwyd dod o hyd i unrhyw dystiolaeth, nac achos cyfatebol, i gadarnhau'r haelioni hwn ar ran yr Arglwydd Penrhyn pan laddwyd John Pritchard – byddai £200 yn 1905 yn gyf-werth ag o leiaf £10,000 heddiw, gan mlynedd yn ddiweddarach. Wrth gwrs, fe allai'r Arglwydd Penrhyn fod yn edrych yn fwy ffafriol ar ambell deulu trallodus pe bai'n ymwybodol o deyrngarwch aelodau'r teulu hwnnw iddo ef, ei asiant a'i swyddogion yn y chwarel – ac, yn sicr, roedd ambell aelod o deulu Llwyn Onn yn siŵr o fod yn llyfrau da'r Arglwydd a'i asiant, E. A. Young, fel y ceir gweld ymhellach ymlaen.

Y grât lle bu'r tân yn seler Llwyn Onn

Y noson cyn angladd John Pritchard, bu tân yn y seler yn Llwyn Onn. Meddai Caradog: 'Yr oedd Mam a Nhaid a rhai cymdogion wedi ymgynnull ar yr aelwyd, yn ceisio sugno cysur o farilau hysb atgof. Yn sydyn, sylwodd rhywun ar don o fwg yn ymwthio o dan ddrws pen grisiau'r seler. Dyma Taid yn rhuthro i agor y drws a chael bod y seler ar dân. Hebryngwyd Mam allan a minnau'n blentyn pum mis oed yn cysgu'n dawel yn ei breichiau. Rhedodd rhywun i'r llofft a chario allan fy nau frawd. Aeth rhywun arall i'r parlwr a llusgo allan gorff fy Nhad yn ei arch. Yn ôl pob hanes, diffoddwyd y tân cyn gwneud llawer o ddifrod . . .'

A oedd bradwr yn y tŷ hwn?

Pan laddwyd John Pritchard ar Bonc Fiztroy yn y Chwarel, roedd bron i flwyddyn a hanner wedi mynd heibio er diwedd Streic Fawr y Penrhyn. Bu'r straeon a ledaenwyd ynghylch y ddamwain a achosodd farwolaeth John Prichard yn achos pryder a phoen i Garadog Prichard. Yn wir, clywsai rywun yn holi ai damwain oedd gwir achos marwolaeth ei dad ynteu ai cael ei ladd yn fwriadol a wnaethai. Yn codi o hynny, yr un cwestiwn a ofynnai Caradog – yn aml – i rai o'i gyfeillion oedd: 'Ydach chi'n meddwl bod fy nhad yn fradwr?' Hyd yn oed yn 1972, roedd yn dal ar y trywydd hwn, fel y dengys y llythyr a anfonodd ataf ym mis Chwefror y flwyddyn honno – ac fe ddyfynnir o'r llythyr hwnnw ymhellach ymlaen. Mae'n debyg mai'r hyn a roesai fod, yn y lle cyntaf, i'r amheuaeth ym meddwl Caradog a oedd John Pritchard yn streiciwr ynteu'n fradwr yn ystod y Streic oedd y cylchoedd a welsai ar gefn carreg fedd ei dad ym Mynwent Glanogwen: 'Yr oedd rhywun rywdro wedi bod â brwsh a chôl tar ac wedi paentio tri neu bedwar cylch du ar gefn y garreg. Mi fûm i'n pendroni llawer ynghylch hyn, ond heb ddweud na gofyn dim wrth neb.' Wel, roedd o *wedi* holi Ernest Roberts (brodor o Fethesda, cyfaill i Garadog, ac un a wyddai gymaint â neb am hanes y fro a'i phobl) ac roedd *wedi* gofyn i minnau am arwyddocâd y cylchoedd; doedd yr un o'r ddau ohonom (na rhai eraill a holwyd) erioed wedi dod ar draws yr arfer honedig hwn yn unman o gwbl. Ond roedd *rhywun* wedi dweud wrtho mai 'nod y bradwr' oedd y cylchoedd ac, am ryw reswm neu'i gilydd, dyna a fynnai Caradog ei gredu. Y cam nesaf fu iddo ddilyn y trywydd hwn ymhellach a chwilio am wybodaeth bendant ynghylch y rhan a chwaraeodd John Pritchard yn ystod y Streic Fawr. Yn *Afal Drwg Adda*, cawn ei hanes ar ei wyliau ym Methesda ac yn mynd i Gapel Bethesda (A) ryw fore Sul:

> Yng nghornel y Sêt Fawr eisteddai John Jones Pant, llenor ac awdur dramâu poblogaidd yn eu dydd. Mi glywswn fod John Jones a Nhad yn gyfeillion reit glòs yn y Chwarel.
>
> 'Dwedwch i mi, John Jones,' meddwn i wrtho ar ôl yr oedfa. 'Oedd fy Nhad yn Fradwr?'
>
> Sythodd corff talgryf John Jones a daeth y mellt i'w lygaid. 'Yr argian fawr, nagoedd,' meddai. 'Roedd dy dad a finna i fyny acw yn Nhŷ'n y Maes hefo caib a rhaw ac yn torri metlin, yn hytrach na mynd yn ôl. Paid di â gwrando ar neb sy'n siarad ffasiwn lol.'

John Jones, Pant, un o gydweithwyr tad Caradog Prichard

Dyna dystiolaeth cyfoeswr ac un a gydweithiai â John Pritchard, diacon yn ei gapel a gŵr uchel ei barch yn y gymdeithas. Prin y byddai John Jones wedi camarwain Caradog (onid i arbed ei frifo â'r gwir, efallai).

Yna, cawn dystiolaeth o gyfeiriad arall:

> Dro byd ar ôl hyn, ar fore Sul arall, roeddwn i a Hywel fy mrawd yn eistedd mewn gwesty ym Mangor yn rhannu atgofion uwch potel o *Scotch* . . . Yna dweud wrth Hywel y stori am John Jones yn y Capel a gofyn iddo yntau, oedd bedair blynedd yn hŷn na mi: 'Oedd Tada'n Fradwr?' Syllodd Hywel i'w wydryn am ennyd ac yna meddai yn drist a distaw: 'Oedd'.

Dyna dystiolaeth ail-law ei frawd (nad oedd ond tair oed pan ddaeth y Streic Fawr i ben) a hynny 'uwch potel o *Scotch*'.

Mae'n werth ychwanegu yn y fan hon dystiolaeth newydd sydd wedi dod i'r golwg wrth ymchwilio ar gyfer y gyfrol hon. Yn y lle cyntaf, doedd John Pritchard *ddim* yn Llwyn Onn noson Cyfrifiad 1901 ac enwau Margaret Jane, Howell (ei mab), a Griffith a Margaret Williams (tad a mam Margaret Jane) *yn unig* a gofnodwyd. Mae'n rhaid holi pam, wrth gwrs, nad oedd John efo'i deulu ryw dri neu bedwar mis ar ôl dechrau'r Streic. A oedd John 'ar streic' ac wedi mynd i ffwrdd, fel cannoedd o'r streicwyr, i chwilio am waith yn rhywle arall, tybed? A allai fod wedi gadael y cartref am ryw reswm arall ac yn dal i fyw rywle arall yn yr ardal? Er dyfal chwilio drwy Gyfrifiad 1901, ni lwyddwyd i ddod o hyd i ble'r oedd John Prichard ar noson y cyfrif.

Tybed, hefyd, a oedd anghydfod ar yr aelwyd yn Llwyn Onn a barodd rwyg o fewn y teulu? Wel, yn arwyddocaol iawn, gellir dadlennu bod Griffith Williams, tad-yng-nghyfraith John Pritchard, a rannai'r aelwyd gyda'r teulu bach yn Llwyn Onn, yn un o'r 500 a dorrodd y Streic a mynd yn ôl i weithio i'r Chwarel ar Fehefin 11, 1901. Roedd ef (a'i fab, Henry, hefyd) ymhlith y rhai a dderbyniodd 'bunt y gynffon' gan yr Arglwydd Penrhyn. *Oedd, roedd Griffith Williams yn Fradwr.* Ond, wedi dweud hynny, ni wyddom *pam* y dychwelodd at ei waith – ai tybed am ei fod yn gweld ei wraig, Margaret, yn dioddef ac yn gwaelu o flaen ei lygaid? Yn sicr, doedd hi ddim yn dda ei hiechyd a bu farw ar Orffennaf 30, 1901, chwe wythnos ar ôl i Griffith fynd yn ôl at ei waith.

Yn dilyn hynny, ym mis Mai 1902, gwnaeth John Williams (brawd Margaret Jane), a'i gyfeiriad yntau erbyn hyn yn Llwyn Onn, gais i gael gwaith yn Chwarel y Penrhyn. Wrth gyflwyno achos John Williams i E. A. Young, asiant yr Arglwydd Penrhyn, ysgrifennodd Rheolwr y Chwarel, David D. Davies, am John Williams fel a ganlyn:

> He is now working at Clogwyn y Fuwch near Trefriw. He was apprenticed in this quarry and became a skilful quarryman, on the rock or on the bank. He was a partner in No. 121 Fitzroy till June 13, 1898, when he was dismissed. He had very drunken habits and was suspected of losing time to drink. On May 31, 1898, he was away from the quarry without leave. He was suspended and finally discharged . . . He is a most quiet man, and was always respectful to the officials. He makes a clean confession of his drunken habits when here before, but says that he leads a more sober life at present, and that he would not give us any trouble if he was readmitted. His father and brother are at work since June 11 last year. The father in the Old men Class and the brother a quarryman No. 121 Fitzroy.
>
> Besides his drunken habits, I know of nothing against the man except that he was a Choir man during the 1896-7 Strike.

Sut y gallai John Pritchard, a allai'n hawdd fod yn un o'r Streicwyr, rannu'i aelwyd gyda Bradwyr! Wedi dweud hyn i gyd, nid oes unrhyw dystiolaeth a allai brofi bod John Pritchard wedi *aros* ar streic drwy gydol y tair blynedd erchyll. A ddarfu iddo yntau, fel llawer o'i gyd-chwarelwyr, o weld priod a phlant yn llwgu a dihoeni fesul diwrnod, 'fethu dal', ys dywedodd Ernest Roberts, a *gorfod* mynd yn ôl i'r Chwarel? A hynny, gyda llaw, ar yr union bonc – Fitzroy – lle'r oedd Henry, ei frawd-yng-nghyfraith, yn gweithio – un o bum can bradwr Mehefin 11, 1901.

Symud Cartref

Wedi'r ddamwain angheuol i John, a marw Margaret, ei mam, byr iawn fu arhosiad Margaret Jane, Griffith Williams (ei thad), a'i thri phlentyn yn Llwyn Onn. Aethai i ddyled a methu talu'r rhent. Edrydd Caradog stori ryfedd iawn am hynny yn *Afal Drwg Adda*: 'Ond clywais hi'n awgrymu fwy nag unwaith fod y tŷ wedi ei gymryd oddi arni trwy dwyll a bod a wnelo'r sawl fu'n byw yno ar ei hôl rywbeth â'r twyll. Sut bynnag, credaf mai gweinidog Capel Bryn Teg oedd y gŵr dan sylw . . .' Mae'n rhyfedd i Garadog ddweud hyn ac yna ychwanegu'n syth: '. . . a theg yw imi ddweud nad oes gennyf ddim i gadarnhau unrhyw gamym-ddwyn ynglŷn â throsglwyddo meddiant y tŷ. Un o hunllefau meddwl dryslyd Mam ydoedd, mae'n siŵr.' Mae'n rhaid dweud mai tueddu i gadarnhau'r sylwadau olaf hyn a wna'r ffaith na ddaethpwyd o hyd i unrhyw dystiolaeth i gefnogi'r haeriad am y twyll.

Ychwanega: 'A'r cwbl sydd gennyf i'w adrodd am bennod echrydus Pen y Bryn yw crybwyll llyfr cownt Siop Jacob Parry . . . Pan ddois i ar draws y llyfr

Jacob Parry a'i wraig yn nrws eu siop,
a safai ychydig is i lawr Allt Pen-y-bryn na Llwyn Onn

cownt ymhen blynyddoedd wedyn gwelwn fod rhai punnoedd yn ddyledus i Jacob Parry. Ond erbyn hynny yr oedd yn rhy hwyr i geisio talu'r ddyled. Yr oedd y siop wedi ei chau a Jacob Parry ffeind ac amyneddgar wedi mynd i'w fedd.'

'Yr enw neis ar fy ail gartref oedd Bryn Teg. Yr enw slym oedd Pant Dreiniog, ar ôl hen chwarel segur yr adeiladwyd y tai ar ei chwr.'

Ardal Bryn-teg, Bethesda. Nid yw Caradog yn nodi ym mha dŷ'n union yr oedd y teulu'n byw ond yn y llun gwelir ardal Bryn-teg ar y chwith i Gapel Bryn-teg a saif bron yng nghanol y llun

Ychydig iawn a gofiai Caradog am y cartref hwn: 'does gen i fawr o gof am ddim a ddigwyddodd tra buom yn byw ym Mryn Teg. Yr oedd yno ddrws yn arwain i'r drws ffrynt ag iddo banylau o bob lliw ac mae'r rheiny'n aros yn y cof fel gweddill rhyw freuddwyd prydferth. Ar wahân i'r drws, y mae dau atgof yn aros fel dwy garn mewn anialwch. Un yw am y bore y mentrais i'r ysgol ar fy mhen fy hun am y tro cyntaf. Yr oedd yn fore rhewllyd a'r ddaear dan draed fel gwydr. Nid oeddwn wedi rhoi prin ddau gam allan o'r tŷ pan lithrais a tharo fy mhen ar y llawr. *Out for the count* oedd hi arna i'r bore hwnnw, ac yn lle bod yn yr ysgol, yn y gwely y bûm i trwy'r dydd . . .' Mae'r ail atgof yn chwerwach fyth: 'Testun yr unig atgof arall sydd gennyf am y Bryn Teg yw Yncl Jack, brawd Mam. Ganol nos oedd hi. Brawychwyd fi o gwsg gan lais croch meddw yn gweiddi: "Agor y drws yma'r diawl." A llais main crynedig Mam yn ateb: "Dos di i'r fan fynnoch di. Chei di byth ddŵad i'r tŷ yma eto". Yna tawelwch. A minnau'n crynu fel deilen ac yn mynd yn ôl i gysgu.' A chofiwn i Yncl Jack gael ei bortreadu yn yr un modd yn union, mewn golygfa hynod debyg, yn *Un Nos Ola Leuad*.

Dyddiau'r Ysgol Gynradd

Ysgol Glanogwen, â'r gŵr â'r hyrdi-gyrdi a'i fwnci yn difyrru pawb
o'i gwmpas, gan gynnwys llond iard o blant. Hoffai Caradog
gredu y gallai ef fod yn un o'r plant yn y llun hwn

Ar y safle lle codwyd y Clinig lleol ar Stryd Fawr, Bethesda, yn 1965, safai Ysgol
Glanogwen lle'r aeth Caradog yn ddisgybl pump oed am y tro cyntaf ganol gaeaf
1909. Hon oedd 'Rysgol' yn *Un Nos Ola Leuad*.

Caradog a'i gyd-ddisgyblion yn yr 'Infans' yn Ysgol Glanogwen.
Caradog yw'r nesaf at y pen ar y dde yn y rhes flaen

Mae'n debyg mai 'Georgie bach' sydd ar y chwith eithaf y rhes flaen yn y llun: 'fu farw'n bedair ar ddeg; Georgie bach, fyddai'n eistedd wrth f'ochor yn yr ysgol, a'i wyneb o bob amser yn llwyd a'i drwyn o'n rhedeg a minnau'n rhoi benthyg fy hancaits boced iddo fo pan fydda fo isio chwythu'i drwyn' [*Afal Drwg Adda*, t.11]. Sonia Caradog yn *Y Rhai Addfwyn* fel y bu iddo sefyll wrth fedd Georgi [*sic*] ym Mynwent Coetmor: '"Bu farw yn un ar bymtheg oed", medda'r garreg'. Gwaetha'r modd, ni lwyddwyd i ddod o hyd i fedd cyfaill bore oes Caradog

Herbert Hughes,
prifathro 'Ysgol y Bechgyn', Glanogwen

nac i unrhyw gofnod i ddynodi faint yn union oedd ei oed, mewn gwirionedd, pan fu farw.

Ar ôl cyfnod yn yr 'Infans', symudwyd Caradog a'i gyfoedion i 'Ysgol y Bechgyn' yn y Church House, ryw ganllath i lawr y lôn. 'Yno yr oeddym dan ofal yr hen ŵr ffeind Herbert Hughes . . . Gŵr caredig ond cyfiawn . . . yn fawr ei barch a'i glod bob amser gan ei ddisgyblion.'

Dros y ffordd i'r ysgol yn Neuadd yr Eglwys, safai'r Douglas Arms Hotel. Cofia Caradog fel y byddai'r Goits Fawr yn aros o flaen y gwesty i newid ceffylau:

Byddai rhai o'r teithwyr yn aros ynddi. Safem ninnau o'i blaen a chanu am geiniogau a deflid inni ganddynt. A ffyrnig fyddai'r ymrafael yn y llwch am y ceiniogau hynny. Un diwrnod taflwyd sofren felen o'r goits ac fe'i daliwyd gan Tomi Morus Coetmor. Pan sylweddolodd Tomi ei wobr aeth â hi'n syth i Hughes. Ond erbyn hyn roedd y goits wedi diflannu. Sgrifennodd Hughes at bobl y goits rhag ofn bod y taflwr wedi camgymryd y sofren am ddimai neu geiniog. Ond daeth llythyr yn ôl yn sicrhau Hughes na bu cam-gymeriad a bu seremoni lawen i gyflwyno'i sofren i Tomi gyda chanmoliaeth uchel i'w onestrwydd. Un lwcus oedd Tomi. Un anlwcus hefyd. Aeth i weithio ar y lein yng Nghaer ac ni bu yno'n hir na laddwyd o mewn dam-wain. Teulu glew oedd teulu Morusiaid Coetmor. William Morus oedd y clochydd yng Nglanogwen. Ef hefyd oedd gwneuthurwr India Roc Nymbar Êt fyddai mor boblogaidd yn Ffair Llanllechid.

Pan oedd Caradog yn 'Standard Tŵ', daeth yn amser i Thomas Herbert Hughes, brodor o Lanfairfechan, ymddeol gan ei fod yn 65 oed. Gwnaeth Bwrdd Rheoli'r ysgol achos cryf i ymestyn ei oes waith ond mynd fu'n rhaid iddo. Yn Awst 1912, penderfynwyd cau'r ysgol yn Church House a chafwyd caniatâd yr Arglwydd Penrhyn (perchennog yr adeilad) i ddefnyddio'r adeilad fel 'Tŷ Eglwysig a Church Institute'. Symudwyd y plant yn ôl i Ysgol Glanogwen ac mae Caradog yn dis-

*Y Goits Fawr o flaen y brif fynedfa i Gastell y Penrhyn, yn barod
i gychwyn ar ei thaith drwy Fethesda a 'rownd y pás'*

grifio'i brifathro yno: 'Mr Jervis, a oedd yn byw yn nhŷ Ysgol y Gerlan, oedd ein
prifathro . . . Gŵr byr ei goes a hir ei ben . . . yn eglwyswr selog ac yn ysgolfeistr
cydwybodol da.' O ystyried bod Caradog â pharch mawr at Mr Jervis, mae'n
syndod iddo briodoli un nodwedd arbennig iddo yn *Un Nos Ola Leuad*, wrth ei
bortreadu fel Preis Bach Sgŵl, sy'n bwrw sen – yn gwbl ddi-sail, hyd y gwyddys
– ar gymeriad glân a dilychwin Thomas Jervis.

*Staff Ysgol Glanogwen pan oedd Caradog yn ddisgybl yno. Mr Thomas Jervis, y Prifathro,
sy'n eistedd ar y chwith yn y rhes flaen, a Mrs Annie Davies, Llys Meurig,
un o hoff athrawesau Caradog, yw'r drydedd o'r chwith yn y cefn*

25

Mewn ysgrif ddideitl, ac anorffenedig yn ôl pob golwg, yn llawysgrifen Caradog Prichard ymhlith ei bapurau yn y Llyfrgell Genedlaethol, cawn gyfeiriad diddorol ato'n dechrau ysmygu tua'r cyfnod hwn:

> Treuliodd ei oes yn rhoi'r gorau i smocio. Dyna fel y sgrifennais i unwaith mewn ysgrif goffa ar ôl un o'm cyfoedion . . . Mae'n rhaid mai rhyw ddeg oed oeddwn pan gefais fy sigarét gyntaf. Fy nghyd-ysmygwr oedd Idris y Waen – mae yntau'n fyw ac iach heddiw ond ni wn a yw'n dal yn ysmygwr ai peidio. Roedd Idris wedi cael gafael ar becyn o Woodbines yn rhywle ac aethom ein dau i le dirgel ar lan Afon Gaseg i'w smocio. Sut yn y byd y bu imi gyffwrdd mewn sigarét ar ôl hynny ni allaf ddychmygu gan imi fod yn sâl am ddyddiau ar ôl yr antur.
>
> Chawsom ni ddim esiampl dda yn yr ysgol chwaith, gan fod yr ysgolfeistr yn smociwr trwm a'i fysedd bob amser yn felynddu gan staen y nicotin. A hyfryd fyddai cael osgoi gwers ambell fore pan gawn fy newis i redeg i lawr i siop y Barbwr i nôl pecyn o'i hoff sigaréts.
>
> Mae'n debyg mai rhyw grac ym mhersonoliaeth bachgen sy'n peri iddo gymryd at sigarét neu getyn i atgyfnerthu ei ego. Yn union fel mae tyngu a rhegi yn helpu ambell un sy'n brin o eirfa i'w fynegi ei hun yn foddhaol. Mae cetyn, wrth gwrs, yn troi'r bachgen yn ddyn.

Wel, dyma gyd-ysmygwr Caradog yn y dyddiau cynnar hynny – Idris Jones, Gwaungwiail (Pen-y-bryn wedyn). Fel Caradog, bu'n smociwr hyd y diwedd.

Idris Jones, Gwaungwiail,   *Caradog Prichard â'r 'hen dragwyddol*
cyd-ysmygwr ifanc Caradog   *sigarét' – golygfa gyfarwydd*

Do, fe geisiodd Caradog ddianc o afael y mygyn marwol sawl gwaith. Cawn ei hanes droeon yn rhoi'r gorau iddi ac yna'n ailddechrau o fewn dim. Gwnaeth hynny yn yr India ar fwy nag un achlysur ac yn ei ddyddiadur ar gyfer dydd Sul, Ebrill 11, 1964, ysgrifenna: 'Rhoddi heibio smygu'n <u>derfynol</u>. Pa ddydd gwell i ddod o'r rhwymau hyn yn rhydd?' Cyn diwedd y dydd, cawn y cofnod: 'Ail-ddechrau smygu'n derfynol!' Wrth gyfeirio yn *Afal Drwg Adda* (t.117) at lun o Mattie ac yntau yn Eisteddfod Dinbych, 1939, â sigarét yn ei law, meddai: 'A chynnwys cyfnodau byrion o ymatal a derbyn cyfartaledd mor isel â deuswllt y dydd, mae swm frysiog yn dangos imi wario ymhell dros fil o bunnoedd ar smocio er y diwrnod hwnnw ar y maes yn Ninbych.' Cofiaf iddo ddweud wrthyf unwaith ei fod yn smocio o leiaf 70 o sigaréts bob dydd a Players neu Capstan Full Strength fyddai ei ddewis gan amlaf.

Gan fod Caradog yn byw yn y Gerlan yn ystod y rhan fwyaf o'i gyfnod yn yr ysgol gynradd (ac wedi hynny hefyd, tra bu yn yr ysgol uwchradd), roedd yn adnabod teulu'i brifathro'n dda. Noda yn *Afal Drwg Adda* fod i Mr Jervis ddau fab – Johnny a Bob. (Mewn gwirionedd, roedd deuddeg o blant wedi eu geni i Thomas ac Eliza[beth] Jervis.) Ond y degfed o'r deuddeg, sef Robert (neu Bob), a aned ar Ragfyr 22, 1895, sy'n cael sylw Caradog; ef yw Bob Bach Sgŵl yn *Un Nos Ola Leuad*. 'Bachgen talentog oedd Bob', meddai Caradog, 'Enillodd gadair Eisteddfod Bethesda . . .' Wel, naddo, a dweud y gwir – *Coron* a enillodd yn Eisteddfod y Plant (a sefydlwyd gan y Parchedig Rhys J. Huws) ym Methesda ym mis Chwefror 1912. Yn 1913, dyfarnwyd ef gan y beirniad, R. Williams Parry, yn Brif Lenor y Plant yn Eisteddfod Llannerch-y-medd, Môn, ac enillodd gadair dderw hardd gyda'r geiriau 'Gwell gallu na golud' wedi'u cerfio arni. Dyna'r Gadair a welsai Caradog, wrth gwrs.

Cadair Eisteddfod y Plant
Llannerch-y-medd, Môn, 1913

Roedd Bob wedi ennill ysgoloriaeth y sir o £20 ac ysgoloriaeth coleg o £15 am dair blynedd, i fynd i Goleg Prifysgol Bangor ond ni chafodd orffen ei gwrs yno gan iddo gael ei alw i ymuno â'r Fyddin. Ddydd Iau, Ionawr 20, 1916, ac yntau ond 20 oed ac ar fin cychwyn yn ôl am Gymru, lladdwyd ef yn ddamweiniol gan un o'i gyd-filwyr mewn ymarfer taflu grenadau llaw. Yn y llun ar y chwith ar frig y dudalen nesaf, gwelir Bob Jervis yn ei lifrai milwr, ac yna, ar y dde, gwelwn Johnny, ei frawd hynaf, yn sefyll wrth ei fedd ym Mynwent Le Tournet, Richebourg-L'Avoue, Ffrainc.

Ceir disgrifiad teimladwy yn *Un Nos Ola Leuad* o'r Canon yn dod i dorri'r newydd i'r Prifathro, a oedd tua 56 oed ar y pryd, fod ei fab wedi cael ei ladd:

> . . . dyma fo'n mynd i eistadd with y ddesg yn ddistaw bach heb i Preis ei glywad o'n dŵad i mewn a rhoid ei het gantal fflat ar y ddesg ac eistadd

27

Bob Jervis a laddwyd yn 20 oed   *Bedd Bob Jervis yn Ffrainc*

yn y gadar a sychu chwys oddiar ei dalcan efo hancaits bocad fawr wen. Wyddai Preis ddim i fod o yno er nad oeddan ni ddim yn gwrando, a phawb yn sbïo ar Canon nes i Preis droi rownd wrth i glywad o'n pesychu.

Wedyn dyma fo'n stopio siarad am y Jyrmans efo ni a cherddad yn slo bach at y gadar lle roedd Canon yn eistadd. Roedd Canon ddwywaith cyn dalad a Preis Sgŵl pan ddaru o godi o'r gadar, a'r ddau'n siarad efo'i gilydd yn ddistaw bach am yn hir iawn, a Canon yn gafael yn ei law o efo'i law dde a rhoid ei law chwith ar ei ysgwydd o. A ninna'n methu dallt beth oedd yn bod nes i Canon eistadd i lawr a sychu chwys oddiar ei dalcan unwaith eto, a Preis yn cerddad yn ôl yn slo bach atom ni a deud bod Bob Bach Sgŵl wedi cael ei ladd gan y Jyrmans.

Ond dyna beth ddaru godi ofn arnom ni, i weld o'n syrthio ar ei bennaglinia ar lawr a rhoid ei ddwylo wrth ei gilydd fel tasa fo'n mynd i ddeud ei badar. A'i lygaid o wedi cau a dagra'n powlio i lawr ei foch o. Dew, anghofia i byth be ddwedodd o chwaith. Mi es i adra'n syth o Rysgol, a wnes i ddim symud o'r tŷ tan nes oeddwn i wedi dysgu'r geiria i gyd, a Bob Car Llefrith yn rhoid chwech imi yn Rysgol Sul wedyn am eu hadrodd nhw drwodd heb ddim un mistêc.

Duw sydd noddfa a nerth i ni, medda Preis a'i lygaid wedi cau a'r dagra'n powlio, cymorth hawdd ei gael mewn cyfyngder . . .

A dyna'n union a ddigwyddodd. Roedd Caradog ychydig dros ei un ar ddeg oed pan ddigwyddodd y 'ddrama' deimladwy hon yn Ysgol Glanogwen a'm mam

Y Gofgolofn gydag Ysgol Glanogwen yn y cefndir a thŵr Eglwys Glanogwen
y tu ôl i frigau'r dderwen fawr

innau, bron yn wyth oed ar y pryd, yn yr un ystafell yn union ac yn ysu – fel y dywedodd wrthyf lawer gwaith – am gael rhedeg at y Prifathro trallodus a rhoi ei breichiau amdano i gydymdeimlo ag ef.

Yn 1924, codwyd cofgolofn o fewn llai na hanner canllath i Ysgol Glanogwen i goffáu dewrion yr ardal a laddwyd yn y Rhyfel Mawr. Cerfiwyd arni englyn enwog R. Williams Parry:

AR GOFADAIL

O! Gofadail gofidiau tad a mam!
Tydi mwy drwy'r oesau
Ddysgi ffordd i ddwys goffáu
Y rhwyg o golli'r hogiau.

Ac o dan yr englyn, cerfiwyd enwau'r hogia' mewn tair colofn – ac enw Robert Jervis yn eu plith (yn y golofn ganol).

Y 'Canon' y cyfeiria Caradog ato oedd y Canon R. T. Jones, a ddaethai'n Ficer ar Eglwys Glanogwen, Bethesda, yn 1897. Ato ef a'i deulu yn y Ficerdy (sydd bellach yn Gartref i'r Henoed ac a elwir yn Plas Ogwen) yr âi mam Caradog i olchi ac i smwddio. Meddai Caradog yn *Un Nos Ola Leuad*: 'Dew, roedd gan Mam feddwl y byd ohono fo hefyd. Mi fyddai'n werth ichi ei gweld hi'n smwddio'i wenwisg . . . yn tŷ ni. Roedd hi'n gadael ei syrplan o yn ddwytha un a gneud

29

*Ficerdy Glanogwen. Gwelwn, ar y dde, estyniad cymharol ddiweddar
a godwyd fel rhan o Blas Ogwen*

Y Canon R. T. Jones

rhai'r dynion a'r hogia i gyd yn gynta. Wedyn roedd hi'n clirio'r bwrdd a rhoid ei syrplan o arno fo'n slo bach a rhedag i bysadd dros bob plyg oedd ynddi hi. Ac roedd hi'n fwy na'r un o'r lleill hefyd, wrth bod Canon dros ei chwe troedfadd. Fo oedd y Person mwya welais i erioed.'

Bu farw'r Canon, y Parchedig Richard Thomas Jones, ddechrau Ebrill 1917 yn 55 oed ac fe'i claddwyd ym Mynwent Eglwys Glanogwen.

Byddai Caradog a'i frodyr yn mynd i'r Eglwys yn selog iawn a chofnodir eu llwyddiannau mewn amrywiol feysydd mewn sawl rhifyn o'r *Cylchgrawn Plwyfol* (h.y., cylchgrawn Eglwys Crist Glanogwen) a gyhoeddwyd fel rhan o gylchgrawn misol yr Eglwys yng Nghymru, *Y Perl*. Ac yn *Perl y Plant*, Medi 1916, rhestrwyd enwau Howell, Glyn a Charadog ymhlith 'Ffyddloniaid yr Ysgol Sul', y tri wedi bod yn bresennol yn yr Ysgol Sul bob Sul drwy'r flwyddyn. Yn *Perl y Plant*, Mawrth 1919, ymddengys enw Caradog fel yr ail orau o blith yr holl blant a safodd Arholiad yr Ysgol Sul rhwng 14 ac 20 oed. Mae'n sicr fod y dylanwad cynnar hwn wedi chwarae rhan bwysig o safbwynt ffurfio ymlyniad oes Caradog â'r Eglwys a'i awydd cryf i fod yn offeiriad wrth i'w yrfa ddatblygu.

Eglwys Glanogwen, Bethesda, a godwyd yn 1856

Cartref Arall ac Ysgol Newydd

Mae'n debyg mai am ychydig flynyddoedd yn unig y bu'r teulu'n byw ym Mryn-teg. Wrth sôn yn *Afal Drwg Adda* am symud o Fryn-teg, dywed Caradog: 'Erbyn hyn yr oedd Taid wedi ei gladdu er nad oes gennyf unrhyw gof am yr angladd.' Wel, mae hynny'n gwbl ddealladwy gan nad oedd Caradog ond dwyflwydd a hanner oed pan fu farw ei daid, Griffith Williams, a hynny ar Fehefin 7, 1907. Gwna hynny hi'n anodd iawn i ni dderbyn y stori a gawn ganddo ar dudalen 11 *Afal Drwg Adda*, lle mae Caradog yn honni iddo gyrraedd ei gartref ym Mryn-teg efo'r 'afal drwg' a gawsai ar ei ben-blwydd yn bump oed a chael ei daid 'yn bustachu treio cael ei droed i mewn i'w esgid. Ac yn gwneud sŵn 'r un fath â hen gi'n sgyrnygu'. Ni fuasai Caradog wedi bod yn bump oed tan fis Tachwedd 1909 – ddwy flynedd a hanner ar ôl i'w daid farw! Ac er i Garadog haeru iddo fod uwch-ben bedd ei daid ym Mynwent yr Ymneilltuwyr yng Nghoetmor, ym Mynwent Eglwys Goffa Robertson yng Nghoetmor y daethpwyd o hyd i fedd Griffith Williams a'i wraig, Margaret, a fuasai farw ar Orffennaf 30, 1901, yn 66 oed.

Symud o Fryn-teg, felly, i 4 Glanrafon, Gerlan – tŷ bychan 'siambar ac un llofft' – ar y llethrau uwchlaw Bethesda, o fewn golwg twll enfawr Chwarel y Penrhyn lle lladdwyd John Pritchard.

Yno y buont yn byw, meddai Caradog, 'ar y plwy – pum swllt yr wythnos – yn dlawd ymhlith tlodion ond yn gyfoethog mewn gobeithion a breuddwydion, am rai blynyddoedd' ac ychwanegodd: 'Ar bared y siambar yn ein cartref bach llwm yng Nglanrafon, byddai dau ddarlun yn gwmpeini i mi. Hwy a welwn y peth olaf cyn mynd i gysgu ac arnynt hwy y syllwn gyntaf wrth ddeffro'r bore. Llun fy nhad ydoedd un . . . Y llun arall . . . oedd llun y Parchedig Thomas Roberts [Gweinidog Capel Jerusalem] ac o dan y llun englyn coffa iddo . . .'

Caiff y tlodi a grybwyllir uchod ei grisialu mor ardderchog yn *Un Nos Ola Leuad* pan adroddir hanes y bachgen bach yn gweddïo yn yr Eglwys:

> Ein Ta-a-d Rhwn Wyt yn y Nefoedd, medda Huws Person ar ei linia.
> Rhwn Wyt yn y Nefoedd, medda ninna â'n penna i lawr.
> Sancteiddier D'enw . . . eiddier D'enw . . . Deled Dy deyrnas . . . eyrnas
> . . . Gwneler D'ewyllys ar y ddaear megis y mae yn y Nefoedd . . . efoedd
> . . . Dyro inni heddiw ein bara beunyddiol . . . yddiol.

4 Glanrafon, Gerlan – y tŷ ar y dde

Ac ar ôl deud bara beunyddiol fedrwn i ddim mynd dim pellach efo'r lleill, dim ond dechra hel meddylia. Cofio am Mam yn deud wrtha i cyn inni ddŵad i Reglwys nad oedd gynnon ni ddim bara i neud brechdan, a dyna lle'r oeddwn i â mhen i lawr yn gofyn i Dduw am fara beunyddiol, a pres plwy ddim yn dŵad tan dy Gwenar.

Sud oedd bosib i Dduw roid torth imi? Meddwn i wrtha fi'n hun. A dechra meddwl am datws a chig a phwdin reis a petha felly, a cofio clwad ogla lobscows yn dŵad o tŷ Now Bach Glo. A dyma fi'n dechra smalio gweddïo ar ben fy hun, heb wrando dim byd oedd y lleill yn ddeud.

Ein Tad, medda fi, yr Hwn wyt yn y Nefoedd, dyro inni heddiw lond plât mawr o datws a chig yn pobdy, a llond desgil fawr o bwdin reis, a lot o fara brith a pob math o gacan gyraints a chacan jam, a lot o gaws, a ham a wya a myshirŵms i frecwast, a siwt newydd erbyn Sulgwyn a lot o bres i wario . . . canys eiddot Ti yw'r deyrnas a'r gallu a'r gogoniant yn oes oesoedd. Amen.

*Margiad Williams. Hi oedd yn
byw yn y tŷ isaf yn Glanrafon*

Wyrion Margiad Williams

Cofia Caradog gydag anwyldeb am rai o'u cymdogion yng Nglanrafon: 'Yn y tŷ isaf yr oedd yr hen Fargiad Williams a'i thylwyth o wyrion a wyresau, Blodwen a Tomi a Moi, yn gofalu'n dyner amdani hyd y diwedd.' Yn y llun ar y dde uchod, Moi sydd yn y blaen ar y chwith ac o'r hyn a ddywedodd Caradog wrth Moi ei hun ryw dro, ar ei ôl ef y cafodd Moi, y cymeriad hwnnw yn *Un Nos Ola Leuad*, ei enw. Tomi sydd ar y dde, Idris (brawd iau) yn y cefn, a Blodwen yn y gornel uchaf.

Wedi marw Margiad Williams, bu'r tŷ isaf yn wag nes i fam Caradog gael symud i fyw yno am gyfnod cyn gorfod mynd i'r Seilam.

Y Bontuchaf, Bethesda

34

Fel y nodir yn *Afal Drwg Adda*, yng ngwaelod Allt Glanrafon yr oedd y Bontuchaf. Yn y llun uchod, gwelwn res tai Glanrafon yn codi fesul gris yn y pellter i'r chwith o frigau'r goeden tua chanol y llun a Siop y Bont yn union o danynt ar ben y rhes. Cedwid honno gan Daniel Jones a chofia Caradog am ei 'feibion talgryf, William Hugh, Daniel, Llew ac yntau Ben Fardd' (ac roedd mab arall hefyd o'r enw Frank na chrybwyllwyd mohono gan Garadog).

Datblygodd Ben i fod yn fardd cymeradwy iawn a chyhoeddodd ddwy gyfrol o gerddi pan oedd yn ifanc iawn: *Awelon* (Y Bala, d.d.) a *Cerddi'r Mynydd* (Lerpwl, 1930) (er y gellid dadlau mai'r cerddi anghyhoeddedig a ysgrifennodd wedyn oedd ei gynnyrch gorau).

Ar y chwith i geg y ffordd a ddringai heibio i gartref Caradog ar Allt Glanrafon (a welir i'r dde o ganol llun y Bontuchaf), 'yr oedd cartref teulu Huw Madog. Nhw oedd biau'r cae o flaen ein tŷ ni. Byddai hwch anferth yn y cae bob amser a gwyliais hi'n magu cenedlaethau o berchyll. Ifan, Huw a Dafydd oedd tri mab Huw Madog a byddent bob

Ben Jones (Ben Fardd)

amser yn dipyn o arwyr gen i. Cofiaf gwrdd ag Ifan . . . yn dod adref am ysbaid o'r ffosydd yn Ffrainc, ei draed a'i ddillad milwrol yn dew gan laid y ffosydd a golwg lluddedig arno.' Yn y llun isod, gwelwn Huw Madog a Jane, ei wraig, gyda'u teulu tua'r cyfnod pan gofiai Caradog hwy. Ifan sydd ar y chwith eithaf, Huw ar y dde eithaf, a Dafydd, efo'r goler fawr, y tu ôl iddo.

Teulu Huw Madog

Teulu Cae Drain

Mae Caradog hefyd yn sôn am deulu'r Cae Drain (eto yn yr un ardal ond o'r golwg y tu ôl i Siop y Bont yn y llun), a chofia fel y byddai Rol neu Wil yn gadael iddo farchogaeth eu merlen, Pol, pan fyddent yn mynd â hi i gael ei phedoli. Yn llun teulu Cae Drain, Rol sydd yn y canol yn y rhes gefn ac mae Wil ar y dde eithaf.

'Cymysg yn wir yw'r atgofion am ddyddiau Glanrafon . . . Ond y diwrnod mwyaf cofiadwy,' meddai yn *Afal Drwg Adda*, 'oedd hwnnw pan ddaeth canlyniad yr arholiad am ysgoloriaeth i'r Ysgol Sir – y Cownti Sgŵl oedd hi ar lafar

Ysgol y Sir, Bethesda, a godwyd yn 1895. Ychwanegwyd ail lawr at yr adeilad gwreiddiol tua 1910 a thynnwyd y llun hwn tua'r adeg honno

Staff yr Ysgol Sir tua 1922. Rhes gefn (o'r chwith): Tom Price Jones (TP); Albert Williams; John Parry, B.A. Rhes flaen: Miss M. D. Roberts; Miss Ruth Lake; D. J. Williams (Prifathro); Miss Edeila Wynne; Miss A. H. Bailey

ardal yr adeg honno . . . mi ddois allan yn wythfed, er mawr lawenydd i Mam yng Nglanrafon ac i'r teulu'n gyffredinol.' Medi 12, 1916, oedd diwrnod cyntaf Caradog yn Ysgol y Sir, Bethesda. 'Bore oedd yn heulog ac yn ddisglair wyn gan obeithion oedd y bore y cychwynnais am y tro cyntaf i'r Cownti Sgŵl . . .'

Mae Caradog yn mynegi ei farn yn glir iawn am ei athrawon yn yr Ysgol Sir: 'Bu 'nghenhedlaeth i'n ffodus iawn yn ein hathrawon . . . Yr oedd y prifathro, D. J. Williams, yn fathemategydd disglair, wedi graddio yn Rhydychen o'r pwll glo – ac ni flinai ein hatgofio am hynny. Yr oedd yn ddisgyblwr tan gamp a'n parchedig ofn tuag ato'n ddi-drai. Gŵr byr pryd tywyll, Iberiad o'r Iberiaid ydoedd a chanddo ddawn i wneud i droseddwr deimlo'n fychan iawn dan lach ei dafod a'i huodledd ysgornllyd, ac weithiau'n ddolurus dan fflangellau'i ddwylo celyd.'

'Yn nesaf ato, John Parry, ein hathro Cymraeg . . . cofiaf yn arbennig Tom Price Jones (TP), athro y bu gennyf barch neilltuol iddo o'r diwrnod y galwodd fi i'w ystafell a rhoddi cosfa iawn imi am ryw drosedd neu'i gilydd . . . Ymhlith yr athrawesau safai Miss Lake, a ddysgai Ladin a Saesneg inni, ar ei phen ei hun . . . Dwy arall sy'n byw yn y cof yw Miss Roberts a Miss Wyn . . . [y cefais] y pleser o'i nabod wedyn am flynyddoedd fel Mrs J. O. Williams . . .' Doedd ganddo fawr o feddwl o Miss Ruth Lake, mewn gwirionedd – Saesnes ronc o Morpeth, Northumberland – gan iddi wneud cam ag ef drwy amau dilysrwydd ei waith un tro, ond roedd yn meddwl y byd o John Parry, ei athro Cymraeg (ac ewythr i Syr Idris Foster) ac yn canmol ei 'lafur, dyfal, dihunan a diddiolch'. Dan ei arweiniad ef yr enillodd Caradog ei wobr eisteddfodol gyntaf erioed – 'tystysgrif addurnol' yn Eisteddfod y Barri 1920.

*Y rhan ganol o un o'r lluniau panoramig hynny a dynnir o staff a disgyblion ysgol.
Tynnwyd y llun hwn yn 1921 a gwelir Caradog Prichard yng nghanol y rhes gefn ac un
o'i hoff athrawesau, Miss Edeila Wynne, sydd ar y chwith eithaf yn rhes y Staff*

Roedd cylch ei gyfeillion yn yr ysgol yn un pur eang – gan gynnwys 'y genod
y byddwn yn cael edrych arnyn nhw drwy'r dydd a breuddwydio amdanyn nhw
drwy'r nos – Nesta, Gwladys, Dilys, Katie, Louisa, Eluned. Mi dorrais fy nghalon
am bob un ohonyn nhw yn ei thro a chael ei mendio gan y nesaf o hyd.' Ymysg ei
gyfeillion o blith yr hogiau, noda'r canlynol yn *Afal Drwg Adda*:

> . . . Spencer, mab y Prifathro [D. J. Williams] . . . David Llewelyn, mab
> pennaeth ysgol yr Eglwys yn Rachub . . . Emrys a Trefor . . . Treuliais lawer
> awr felys ar aelwyd cartref Emrys a Trefor yn y Carneddi a thorrwyd fy
> newyn yno lawer gwaith â phryd o fwyd nad oedd gennyf obaith amdano
> pan gyrhaeddwn adref . . . Alun John Sam (Alun Ogwen) . . . John
> Llewelyn Roberts (Jack Llew). Yr oedd Jack yn arweinydd wrth reddf ac fel
> capten yr ysgol y cofiaf amdano . . .'

Gwelir rhai o'r ffrindiau hynny yn y llun a dynnwyd o dîm pêl-droed Ysgol y Sir,
1919-20.

Mynegodd Caradog ei ddyled a'i ddiolch i'w hen ysgol mewn cerdd a ysgri-
fennodd ymhen blynyddoedd ar ôl gadael ei hoff fro ac a gyhoeddwyd gyntaf yn

38

Tîm Pêl-droed Ysgol y Sir, 1919-20. Rhes gefn (o'r chwith): Mr John Parry (Athro Cymraeg ac Athro Chwaraeon); Owen Rees Jones; Alun Ogwen Williams; David Llewelyn; J. Buckland (Llumanwr); Rhes ganol: G. W. McDermid; John Llewelyn Roberts (Capten); J. Edwin Hughes; Rhes flaen: R. D. Pritchard; Emrys Hughes; Spencer Williams; Gwilym Williams; Emyr Thomas

Tantalus: Casgliad o Gerddi (Dinbych, 1957). Y pennill cyntaf yn unig o bedwar a ddyfynnir yma:

Y RHAI ADDFWYN
(I blant Ysgol Dyffryn Ogwen, Ddoe, Heddiw ac Yfory)

I chwi, a groesodd fy llwybr ar flaen y wawr,
Y rhof fy mendith, cyfoedion gwyry awr
Deffro'r ebolion a'r ŵyn ar uchel ffridd
A syndod cyntaf yr egin yn y pridd;
Chwi, fu'n cyd-fesur milltir gyntaf y daith
A'i chael yn dragwyddoldeb diderfyn baith,
A difesur hyd y filltir nesaf draw
Yn rhywle tu hwnt i freuddwyd ac i fraw,
Er nad oeddym o'r un fam nac o'r un tad,
Fy mrodyr a'm chwiorydd fuoch. Ein rhad
Fu rhannu unllawr aelwyd gynnes ein bro
A rhannu ei haul, yn deulu dan un to.
O'r aros hwnnw, o'i dragwyddoldeb chwim,
O'i betryal baith, heddiw nid erys dim
Ond addfwynder, addfwynder eich cwmni gwyn,
Chwi, na thyfasoch ac na fuoch feirw, hyn
A enillodd i chwi fy mendith.

39

Y Teulu'n Chwalu

Roedd brodyr Caradog – Howell a Glyn – wedi mynd i weithio'n ifanc. Aethai Glyn i Chwarel y Penrhyn a Howell, ar ôl gadael yr ysgol yn bedair ar ddeg oed i fod yn brentis barbwr efo Robat Ifans, yn newid cyfeiriad ymhen ychydig wythnosau i fod yn brentis pobydd hefo Jeremiah Thomas yn y Gerlan. A phobydd a fu Howell nes iddo ymddeol yn 65 oed.

Robat Ifas Barbar o flaen ei siop yn Stryd Fawr, Bethesda.
Ei ferch, Nan, sydd ar y chwith, a'i ddau fab, Emlyn ac Idris,
yw'r hogia' bach (a'r olaf a enwir yn ei farclod gwyn
yn amlwg yn cynorthwyo yn siop ei dad)

Jeremiah Thomas, pobydd
(a fu hefyd yn drysorydd i'r
Côr Meibion a deithiodd
ymhell ac agos i godi arian i
deuluoedd y streicwyr yn
ystod Streic Fawr 1900-03)

A hithau'n gweld ei byd yn gwella, gyda Howell a Glyn yn gweithio a Charadog yn dod ymlaen yn dda yn yr Ysgol Sir, symudodd Margaret Jane a'i thri mab i dŷ mwy yn y Stryd Hir – 4 Long Street fel yr oedd yr adeg honno. 'Doedd dim digon o ddodrefn ganddi i lenwi'r ystafelloedd yn Long Street ond fe ddôi pethau'n well o dow i dow.'

Ond 'ar waethaf pob perswâd, mynnodd Howell, yn ddeunaw oed, ymuno â'r Fyddin ym misoedd olaf y Rhyfel, a chafodd flas ar grwydro.

Llun diweddar o 4 Long Street, Gerlan

Wedi'r Rhyfel, gwrthododd Howell yn lân â dychwelyd i'w hen gynefin a 'diflannodd i berfeddion Lloegr,' meddai Caradog, 'a pheidiodd ei lythyrau adref.' Cawsai waith yn bobydd yn Lerpwl ac yna symudodd i wneud yr un gwaith yn Sheffield, lle cyfarfu ei ddarpar briod, Mary, a ddisgrifir mewn ysgrif gan Garadog: 'merch ifanc, landeg, swil, ac iddi ddau lygad gloyw fel grawn duon.' Ar ôl bod yn aros am dridiau yn Sheffield efo Howell a Mary tua chanol y dau ddegau, meddai Caradog: '. . . dyna'r olwg olaf a gefais ar Howell am ddeng mlynedd ar hugain. Diflannodd y naill a'r llall o fywydau'i gilydd fel pe baem feirwon, heb gariad na chas, heb hiraeth na chwerwder. Llyncwyd y naill a'r llall

Howell yn ei lifrai milwr

41

ym mhwll ei fywyd beunyddiol ei hun ac ymddangosai fel pe bai'r ddolen frawdol wedi torri'n naturiol am byth. Edau frau rhyw ddau lythyr yr un a geisiodd yn ofer gadw'r ddolen yn ystod y deng mlynedd ar hugain. Yna fe ddaeth mam â ni at ein gilydd drachefn.' Down yn ôl at hynny yn y man.

Byr fu cyfnod Glyn yn y Chwarel ac, yng ngeiriau Caradog, 'Dechreuodd ddawnsio a hel diod, a chollodd ei waith yn y Chwarel.' Ac ychwanegodd: 'Dyna ddau o freuddwydion Mam yn deilchion.'

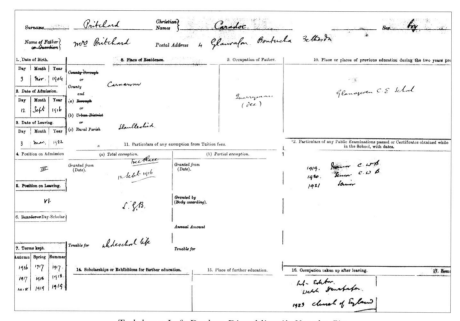

Tudalen o Lyfr Derbyn Disgyblion i'r Ysgol y Sir

A beth am ei mab ifenga? Roeddwn i ac un neu ddau arall gymaint ar y blaen yn ein dosbarth fel y penderfynwyd ein bod yn cael neidio dosbarth a chael gweithio am y *Matric* flwyddyn yn gynharach. Ac yma y dechreuodd y pydredd. Mi gollais fy mhen a mynd yn ddi-hid ac yn rhy hunanhyderus. Collwn oriau lawer o'r ysgol yn ateb sialens dewin o chwaraewr drafffts yng ngweithdy Tomi Siop y Bont, Carneddi. Ond troes y chwarae'n chwerw. Pan ddaeth yr arholiad, nid oedd gennyf yr amheuaeth lleiaf na phasiwn. Pan glywais fod canlyniad yr arholiad wedi ei bostio yn ffenestr Siop Je Eff (J. F. Williams, y llyfrwerthwr) . . . i lawr â mi o'r Gerlan ar garlam i'w weld. Ond er fy syndod, nid oedd fy enw ar y rhestr [o rai wedi llwyddo i basio'r Matric] . . . cerddais adre'n ôl i dorri'r newydd i Mam. Pan gyrhaeddais y tŷ, safai yn y drws a thegell yn ei llaw, ar hanner ei lenwi o'r feis ddŵr yn y cwt molchi. Pan ddwedais wrthi nad oeddwn wedi pasio, rhoddodd y tegell i lawr a chrio'n ddistaw. Dyna'i thrydydd breuddwyd yn deilchion . . .

Mam Caradog Prichard

Tua 1919-1920, pan nad oedd Caradog ond tua 15 oed, dechreuodd ei fam, â'i 'breuddwydion wedi troi'n hunllefau', amlygu arwyddion o orffwylledd.

Ar fy ffordd adref o'r ysgol un pnawn, stopiwyd fi gan un o'r cymdogion. Dwedodd fod Mam yn siarad ac yn ymddwyn yn ddieithr iawn. Yn y tŷ, cefais hi'n taeru ei bod yn clywed llais Hywel . . . caffai byliau o siarad â chysgodion o'i chwmpas, heb gymryd yr un sylw ohonof. Ac felly, dan bwys baich o euogrwydd, y gwyliais ei hymennydd yn dechrau dadfeilio . . . Chwiliais yn wyllt am ryw fodd i atal y chwalfa . . .

O edrych yn ôl, credaf mai dyma'r adeg y teimlais y crac cyntaf yn fy mhersonoliaeth. Hyd yma yr oeddwn yn eofn a hunanhyderus, yn ym-laddwr ffyrnig ac wedi ennill enw fel tipyn o fwli yn yr ysgol ac ymhlith hogiau'r ardal. Ond ar ôl y sioc o ganfod Mam yn dechrau drysu, daeth dirywiad amlwg yn fy nghymeriad. Cerddwn yn llechwraidd ar hyd ffyrdd y pentref fel un yn ofni ei gysgod. Ac mi ddechreuais gadw ar wahân i blant eraill a throi i mewn ynof fy hun. Yr oeddwn yn llwfrddyn wedi colli pob hunanhyder.

Caradog yn ei bumed flwyddyn yn yr Ysgol Sir
a'i lygaid croes yn bur amlwg

Credai Caradog y byddai cael hyd i waith yn un ffordd i geisio gwella pethau. Ar Fawrth 3, 1922, ac yntau ar ganol ei flwyddyn gyntaf yn y Chweched Dosbarth, gadawodd Caradog Ysgol y Sir Bethesda a chael swydd yn brentis golygydd neu, fel y bu ef yn brolio wrth ryw ferch neu'i gilydd, yn '. . . is-Olygydd yr *Herald Cymraeg* . . .'

Swyddfeydd papurau'r Herald *ar y Maes yng Nghaernarfon, drigain mlynedd ar ôl dyddiau*
Caradog yn gweithio yno. Ddydd Iau, Ionawr 12, 1984, llosgwyd yr holl adeilad
yn ulw a dyma lun yn cofnodi'r digwyddiad anffodus hwnnw

PENNOD 10

Cyfnod Caernarfon

Charlie Morgan

Pan aeth i mewn i Swyddfa'r *Herald* ar y Maes yng Nghaer-narfon am y tro cyntaf, 'yn nerfus a chrynedig', i holi am waith, adroddodd ei neges wrth 'glarc llwyd ei wedd tu ôl i'r cowntar.' Charlie Morgan oedd hwnnw, a roes gyngor i Garadog i fynd i chwilio am lety yn Siop Ffrâm Ddu yn Twt-hill; fe ddaeth y ddau'n ffrindiau mawr yn y man. Un o hynodion Charlie Morgan oedd y gallai adio colofnau £sd efo'i gilydd yr un pryd!

Gŵr o'r enw Coplestone, o Gaer, oedd perchennog yr *Herald Cymraeg* ar y pryd ('Hen ŵr bywiog, gwydn ei gorff a hoff o gerdded') ond daeth W. G. Williams, a oedd yn Rheolwr yno yng nghyfnod Caradog, a'i frawd Jack, yn berchnogion y papur maes o law.

Staff yr Herald Cymraeg, *Caernarfon, tua chyfnod Caradog yno*

Yn y llun o aelodau Staff yr *Herald* (y rhan fwyaf ohonynt yn gweithio yno yr un pryd â Charadog), cawn yr argraffwyr yn y rhes flaen; yna, yn yr ail res, y cyntaf ar y chwith yw Jo Davies, fforman y printars, a'r Rheolwr, W. G. Williams yw'r nesaf ato, gyda Coplestone yn y canol. Ar ben yr ail res, ar yr ochr dde, mae Meuryn (R. J. Rowlands). Yn y drydedd res, y trydydd o'r chwith ydi Tom Jones, o'r Bontnewydd, gyda Charlie Morgan yr ail o'r dde. John (Jack) Williams, brawd W. G. Williams, yw'r ail o'r dde yn y rhes gefn.

45

Tom Jones o'r Bontnewydd

Yn ystod ei flwyddyn gyntaf ar staff yr *Herald*, yn ei eiriau ef ei hun: 'Daeth mân helbulon a mân brofedigaethau yn gawodydd trymion i bwll fy ngorthrymderau . . .' Bu rhai o staff yr *Herald* yn garedig iawn wrtho. Sonia yn *Afal Drwg Adda* am Tom Jones, o'r Bontnewydd, a ddaeth yn berchen yr *Herald* tua chanol y 1940au: gŵr '. . . diwyd a rhadlon . . . caredig, cyd-wybodol . . . a rhyw ddwyster parhaus yn ei lygaid gleision, er ei sirioldeb . . . Daeth ataf yn yr Offis un bore a phâr o esgidiau newydd sbon yn ei law. "Treiwch y rhain i weld ydyn nhw'n ffitio. Maen nhw'n rhy fychan i mi," meddai. Mae'n rhaid ei fod wedi sylwi ar y pâr truenus oedd am fy nhraed ac wedi mynd allan yn un swydd, yn ei ffordd ei hun, i brynu pâr newydd i mi.'

Dau arall a fu'n arbennig o ffeind wrtho oedd Morris T. Williams a Gwilym R. Jones, y naill yn gysodydd a'r llall yn ohebydd.

Disgrifia Caradog Gwilym R. Jones fel 'y blaenaf ymhlith yr "eneidiau nwyfus" . . . a rwyfodd i bwll fy ngorthrymderau i dorri ar f'unigedd . . . llanc ifanc o brydydd o Dal-y-sarn, a ddaeth i gydweithio hefo mi ar yr *Herald* . . . roedd ei galon a'i ysbryd yn doreithiog. Roedd gen i bellach ymladdwr gwiw yn erbyn yr hyn a ystyriem yn orthrwm y meistr . . .'

Ac meddai Gwilym R. Jones yn ei hunan-gofiant, *Rhodd Enbyd*, am Garadog yntau: 'Cydweithiwr â mi yr adeg honno oedd Caradog Prichard, llanc ifanc o Fethesda, oedd yn gallu sgrifennu'n bur gywir yn yr Orgraff Newydd, a chap ysgol am ei ben. Fe welodd Caradog ddyfnder tlodi ac angen am nad oedd ei gyflogwr yn barod i roi iddo gyflog byw ac am fod ei fam yn wan ei meddwl. Anodd credu bod neb o'm cymrodyr wedi profi trueni mor eithafol â Charadog . . .'

Roedd Caradog a Morris T. Williams (neu Moi fel y galwai Caradog ef) yn gyf-eillion mynwesol, ac awgryma rhai mai

Gwilym R. Jones

dyma'r Moi y benthycwyd ei enw ar gyfer y cymeriad yn *Un Nos Ola Leuad*, er na allwn anghofio tystiolaeth ei gyfaill bore oes, Morris (Moi) Williams, o'r Bontuchaf, Bethesda. Byddai Caradog yn bwrw'i fol wrth Morris T. Williams, yn trafod ei helbulon gydag ef mewn manylder, ac yn benthyca arian yn gyson ganddo. Ysgrifennodd Caradog mewn llythyr, dyddiedig Mawrth 5, 1923, at Moi:

> . . . Nid oes gennyf ond diolch cywir i ti am dy garedigrwydd. Yr oeddwn yn edifaru ar ôl gyrru iti i ofyn am fenthyg ac yn fy ngweld fy hun yn gythraul digywilydd yn anghofio bod gennyt rai eraill heblaw fi i'w cynorthwyo. Yr wyf wedi profi llawer cyfaill yn ystod fy helbul ac wedi cael y rhan fwyaf ohonynt yn brin, ond ni chefais erioed gywirach praw o gyfeillgarwch nag ynot ti ac nis anghofiaf chwaith . . .

Fel mae'n digwydd, ar ôl i Garadog adael Caernarfon, fe ddigwyddodd anghydfod go chwerw rhyngddo ef a Morris a effeithiodd yn bur arw ar eu perthynas ond aildaniwyd fflam eu cyfeillgarwch maes o law a buont yn ffrindiau mawr ar ôl hynny.

Morris T. Williams

Erbyn dechrau'i ail flwyddyn yng Nghaernarfon, roedd ei broblemau'n pwyso'n drymach fyth ar ysgwyddau deunaw oed Caradog. Roedd Glyn, ei frawd, wedi mynd dros ben llestri'n llwyr. Roedd dan fygythiad i fynd o flaen llys yr ynadon am ddwyn beic ac er gwaethaf ymdrechion Caradog i'w helpu, ni thyciai dim. Roedd Caradog wedi cyrraedd pen ei dennyn ac yng Ngwanwyn 1923, ysgrifennodd at Morris T. Williams fel hyn:

> Y mae'n syrthio'n is, is bob dydd, ac yr wyf innau, a phawb arall, yn syrthio'n is, is, i anobaith o fedru ei ddiwygio . . . Clywais ei hanes ym Mangor bron bob nos a genethod gydag ef yn ei flingo, neu gyda'r bwriad o wneud hynny mae'n debyg, canys yr oedd ganddo siwt newydd lwyd amdano, y smartiaf a welaist erioed a *shoes* morrocco, a chap newydd. Wedi eu cael mewn siop, mi glywais, ar amodau talu'n wythnosol. Nid wyf am dy flino'n ychwaneg â hanes y diawl. Petai fy hunan-barch, a'r teimlad sydd gan fy mam tuag ato, ddim o ddifrif, buaswn wedi mynd ag ef i'r carchar fy hun erstalwm . . .

Wrth sôn am Glyn, mae'n werth nodi bod dogfen ymhlith papurau Caradog yn y Llyfrgell Genedlaethol, na chyhoeddwyd mohoni hyd y gwyddys, mewn saith proflen hir, ar ffurf dyddiadur neu lythyrau at ei gefnder, William John Brown, Deiniolen. Ar gyfer Ionawr 15, 1964, ceir y cofnod a ganlyn:

Heddiw . . . fyddai pen-blwydd fy mrawd, Glyn. Beth ddaeth ohono, druan, tybed? Aeth i Ganada, fel y gwyddost, a'r peth olaf a glywais amdano oedd ei fod yn gweithio ar fferm yn rhywle yng nghymdogaeth Winnipeg. Ond nid oedd yn rhy dda ei fyd arno'r adeg honno, yn ôl pob golwg. Yr oedd hynny yn y dyddiau cyn y Rhyfel diwethaf ac ni chlywais ddim amdano ar ôl hynny, ac er i mi wneud llawer o ymholiadau methais â chanfod ai byw ai marw ydyw, ac os wedi marw, pa fodd ac ym mhle y bu ei ddiwedd. Buasai'n 62 mlwydd oed heddiw.

Druan o'r hen Glyn. Ni chawsai fawr o siawns mewn bywyd. Wedi dechrau yn y Chwarel aeth â'i fryd ar ddawnsio a'r bywyd melys yn rhy gynnar, a throes y melys yn chwerw. Ond mi synnais glywed rhywun a oedd yn ei adnabod pan oedd yn byw ym Mae Colwyn am gyfnod, ei fod wedi troi'n dduwiol iawn, yn un o bileri capel yno, ac yn huodl iawn mewn seiat a chwrdd gweddi . . .

A dyna sut y syniai am ei frawd, Glyn, yn 1964 – mor wahanol i'w feddyliau amdano a'i deimladau tuag ato ddeugain mlynedd ynghynt.

Ond ei fam oedd ei bryder mwyaf pan oedd yng Nghaernarfon. Ganol Ebrill 1923, mae'n agor ei galon i Morris am ei sefyllfa dorcalonnus:

. . . Yr oeddwn yn methu â byw yn fy nghroen neithiwr wrth feddwl am yr hen fam yn y tŷ yna ym Methesda, efallai heb ddim tân na dim byd. Wyddost ti, Moi, does ganddi ddim i'w wneud trwy'r dydd. Bydd yn golchi'r llawr a dyna'r cwbl. Nid oes ganddi ddim i'w wnïo, na dim i'w ddarllen ond y Beibl, ac y mae'n darllen cymaint ar hwnnw nes wyf yn credu ei fod yn mynd ar ei hymennydd. Nid oes yna'r un ddalen yn y tŷ ond y Beibl. Y mae wedi llosgi popeth ond hwnnw. A meddwl amdani'n eistedd yn y lle ofnadwy yna ar hyd cydol y dydd heb ddim ar y ddaear i'w wneuthur. O, mae'r syniad yn gwneud imi ferwi o aflonyddwch bob nos. Ac i feddwl fy mod innau yma, yn methu â bod yn ei chwmni. Yn wir, Moi, y mae yn anodd dal. Ond ni ddylwn gwyno fel hyn. Cofia nad cwyno ar ran fy hun yr ydwyf. Nid yfi sy'n dioddef. Petawn i'n cael ei phoenau hi, a hithau fy mhoenau i, rwy'n siŵr na byddai hi'n hir cyn mendio. A mwya yn y byd wyf yn feddwl amdani, cryfaf yn y byd y bydd fy mhenderfyniad i roddi cysur iddi, yn mynd. Yn wir i ti, yr wyf wedi dymuno lawer gwaith, wrth feddwl amdani yn fy ngwely, am iddi gael marw. Os oes yna fyd arall, beth bynnag yw hwnnw, nid wyf yn credu y caiff waeth uffern nag y mae ynddo ar hyn o bryd. Mae sôn, onid oes, mai yn y byd hwn y mae'r uffern. Ond yr wyf yn methu coelio hynny, gan ei bod hi yn cael uffern na haeddodd erioed. Ond, bob tro, bydd dymuniad arall yn codi ynof, ar ôl y dymuniad erchyll yna, sef am gael troi ei huffern yn nefoedd, ac os oes yna Dduw yn bod, fe rydd ynof y gallu i wneuthur hynny . . . ac os methaf â rhoddi nefoedd i mam ar ôl yr uffern yma, bydd yn anodd iawn gennyf goelio bod yna Dduw . . .

Ar ben hyn oll, doedd cyflog Caradog gyda'r *Herald* (rhyw ddeg swllt ar hugain yr wythnos) ddim yn ddigon iddo dalu rhent tŷ ei fam ym Methesda, talu costau llety iddo'i hun yng Nghaernarfon a chostau bwyd a byw yn gyffredinol. Bu adegau pan orfu iddo gysgu ar fainc yn yr orsaf reilffordd am na allai fforddio i dalu am lety.

Ond er gwaethaf (neu, efallai, oherwydd) ei holl drafferthion, dyma'r cyfnod pan ddechreuodd farddoni – a dyma'r cyfnod pan ddechreuodd garu. Roedd wedi symud o Siop y Ffrâm Ddu erbyn hyn ac wedi cael llety newydd yn 7 Margaret Street (ac erbyn canol 1923, roedd wedi symud eto i 9 Pen Deitsh).

Un o'i gyd-letywyr ym Margaret Street oedd 'Siôn Pitar, prentis o gemist â chrop o wallt cyrls yn addurno'i ben. Un o'r Waunfawr oedd Siôn ac âi adref i fwrw'r Sul. Aeth â mi hefo fo un bwrw Sul, ac er yr ysbaid fendigedig honno arhosodd y Waunfawr yn un o drysorau atgof.' Cawn sôn eto am Siôn ymhellach ymlaen ond dyma'i lun gyda'i frawd, Wil, a'i fam a roes gymaint o groeso ar ei haelwyd i Garadog.

Siôn Pitar (ar y dde) a'i frawd, Wil, a'u mam

Caru a Cholli

Yn *Afal Drwg Adda*, mae'n adrodd stori fach am gariad fu ganddo 'dros dro byr yn y dre.' 'Yn y dyddiau llwyd hynny,' meddai, 'ysbeidiau pelicannaidd o unigedd sy wedi eu stampio ar y cof. Eisteddwn am oriau dan furiau'r hen Gastell yn syllu a gwrando ar hyfrydwch Menai dan heulwen Haf; ac yn syllu'n genfigennus a hunandosturiol ar y deuoedd llawen fyddai'n hurio cychod Porth yr Aur ac yn rhwyfo allan i chwilio am wyrthiau'r Arglwydd.' Ond fe gafodd yntau gariad. Âi heibio iddi bob bore ar ei ffordd i'w waith a hithau ar ei ffordd i'r Ysgol Sir. Gofynnodd i'w gyd-letywr, Iorwerth (yntau hefyd yn ddisgybl yn Ysgol Sir Caernarfon) wneud ymholiadau yn ei chylch. Cafodd wybod mai ei henw oedd Awen a'i bod yn byw ym mhentre Bethel. 'Eisteddais innau i lawr y noswaith honno yn ein llety ym Margaret Street a sgrifennu rhes o benillion yn moli pryd-ferthwch digymar Awen, ei rhinweddau angylaidd a'm serch difarw tuag ati. A'u hanfon iddi i'r ysgol trwy law Iorwerth, fy llatai o'r llety . . .'

Caradog gydag Iorwerth, ei gyd-letywr, yn eistedd ar fainc
wrth Gastell Caernarfon tua 1923

Ac mae'n ddiddorol nodi, wrth fynd heibio, fod Iorwerth wedi anfon cardyn post, dyddiedig Tachwedd 11, 1936, ac arno lun 'The County School, Bethesda', at Garadog a Mattie yn eu cartref yn 46 Woodlands, Golders Green, Llundain. Ysgrifennodd Iorwerth:

Annwyl C&M

Dyma ni yn Bethesda am y diwrnod yn ystod gwyliau a thyma iti lun yr hen
ysgol y buost yno. Eluned a'r plant yn cofio atoch, a cofiwch ddod i'r Cei
yn fuan eto ag aros. Welais i monot yn Eisteddfod yr Urdd. Ta-ta. Iorwerth.

Â Caradog ymlaen gyda stori Awen:

Un nos Sadwrn yn fuan ar ôl hynny, a ninnau'n cwrdd ar un o balmentydd
poblog y dre, mentrais ei chyfarch a chychwynnwyd rhamant melys ond
byr ei hoedl. Aeth Awen ymlaen i'r Coleg Normal a byddwn yn cael ambell
lythyr ganddi mewn llawysgrif gain, wrywaidd. Ond cyn hir fe ddaeth y
llythyr olaf. Yr oedd Awen wedi clywed fy mod i wedi dechrau hel diod. A
chynnwys y llythyr oedd – Cyngor a Cherydd a Ffarwel. Yn Eisteddfod y
Barri 1968, roeddwn i a Mati'r wraig yn eistedd mewn perfformiad o 'Dan
y Wenallt,' y cyfieithiad Cymraeg gwell-na'r-gwreiddiol o 'Under Milk.
Wood', pan droes gwraig yn y sedd o'n blaen a dweud yn y tywyllwch:
'Sud ydach chi ers deugain mlynedd?' A byth er hynny bydd Awen a minnau
yn fflyrtio unwaith y flwyddyn â cherdyn Nadolig.

Awen Williams tua 1922 pan oedd yn adnabod Caradog

Merch Hugh a Margaret Williams, Rhyd y Galen, Bethel, oedd Awen. Fe'i
ganed Awst 21, 1906. Ar ôl bod yn y Coleg Normal ym Mangor, bu'n athrawes
yn ysgol gynradd Rhosgadfan. Priododd fachgen lleol o'r enw Dafydd Gwyndaf
Jones a gadawsant Gymru yn gynnar yn y tri degau. Ganed iddynt ddau o blant –
Bryn Gwyndaf (sydd yn byw heddiw yn Welwyn Garden City, Llundain) ac Eryl
Mai (sy'n byw ar hyn o bryd yn Durban, De Affrica). Collodd Awen ei gŵr yn 47
oed yn 1953 a bu hithau farw Mai 25, 1975, yn 68 oed.

Jo Davies, fforman printars
yr Herald Cymraeg

Tra oedd Caradog â'i fryd ar Awen, roedd pethau'n gwaethygu ym Methesda. Roedd perchennog 4 Long Street wedi cael gorchymyn llys i droi mam Caradog allan o'i thŷ 'ar sail ôl-ddyled o ryw deirpunt yn y rhent.' Gofynnodd W. G. Williams, Rheolwr yr *Herald*, i Jo Davies, y fforman, fynd efo Caradog Prichard i Fethesda ar unwaith 'i ymliw â'r landlord.' Ofer fu'r crefu. Bu'n rhaid i Garadog ffarwelio â'i fam a dychwelyd i Gaernarfon 'a'i gadael yn ei thrybini.'

Pan oedd y beilïaid wrthi'n gwagio'i thŷ ac yn cario'i dodrefn allan i'r ffordd, clôdd mam Caradog ei hun yn y cwt glo dros y ffordd i'r tŷ. Roedd J. O. Jones (y gwelir ei lun tua diwedd y gyfrol hon) yn blentyn bach ar y pryd ac yn gwylio'r ddrama hon gyda chriw o'i gyfoedion. Cofia fel yr oedd Margiad Jên (fel y galwai pawb hi) yn sgrechian crio yn y cwt glo ac yn gwrthod yn lân â dod allan.

Y Cwt Glo gyferbyn â 4 Long Street

Ond 'daeth cymdogion caredig (O, mor garedig oeddynt) a chario'i dodrefn yn ôl i Glanrafon, i'r tŷ isaf yn y rhes, a oedd yn wag er pan fu farw Margiad Wilias. Ac fe berswadiwyd mam i ddod allan o'r cwt glo a'i chael i'w chartref newydd' – a hwnnw oedd ei chartref olaf yn Nyffryn Ogwen.

1 Glanrafon. O'r tŷ hwn, yr isaf yn y Stryd, yr aethpwyd â mam Caradog i'r Seilam

Yng Nghaernarfon, roedd Caradog yn rhannu swyddfa â Meuryn, a enillasai'r Gadair yn Eisteddfod Genedlaethol Caernarfon yn 1921 am ei awdl, 'Min y Môr'. Dysgodd lawer gan Meuryn a byddai Caradog wrth ei fodd yn gweld 'gorymdaith reolaidd o feirdd a llenorion' yn galw yn y swyddfa, 'a chael gwrando ar eu doniolwch a'u ffraethineb a'u rhagfarnau . . . Eifionnydd ddigri . . . Caerwyn hoff . . . Gwynfor ffraeth a dawnus . . . Beriah Gwynfe Evans . . . J. R. Morris . . .'

J. T. Jones (John Eilian)

At y rhain, gellid ychwanegu 'y bachgen tal, ifanc, golygus', John Eilian, a gyfarfu am y tro cyntaf yng Nghaernarfon ac y daeth yn gymaint o ffrindiau ag ef wedi hynny.

Pa ryfedd, felly, i Garadog fynd ati i gystadlu mewn mân eisteddfodau ei hun. Enillodd ddwy wobr yn Eisteddfod Brynrodyn yn y Groeslon: 7s 6c am delyneg 'Yr Wylan ar y Mynydd' a 5s am gyfieithu 'Yn y dyfroedd mawr a'r tonnau'.

Yna, ennill Cadair Eisteddfod Gŵyl Ddewi Tal-y-sarn yn 1923 am gerdd ar y testun 'Cyfrinach y Mynydd' (ac fe gyflawnodd yr un gamp yn 1924). Mewn llythyr, dyddiedig Mawrth 5, 1923, at Morris T. Williams, dywed iddo ennill y Gadair, gan ychwanegu:

53

Cadair Eisteddfod Tal-y-sarn 1923

Wyddost ti beth, Moi, yr oeddwn yn teimlo wrth eistedd yn y gadair yn Nhal-y-sarn fod rhyw werth newydd i mi mewn bywyd. Er nad oedd ennill Cadair Tal-y-sarn yn rhyw lawer (dim digon i chwyddo fy mhen) y mae wedi dangos imi fod gennyf waith mewn bywyd, ac wedi fy nghlymu'n gadarnach wrth y penderfyniad i ddyfod allan o'm helbulon yn fuddugwr a hefyd i sylweddoli pa un yw ochr orau bywyd. Yr wyf yn falch o galon hefyd imi ennill fy nghadair gyntaf heb gynhorthwy neb, er na choelia pawb mo hynny. Ond mae fy nghydwybod yn dawel ar y pwnc . . .

Aethai i'r Eisteddfod yn Nhal-y-sarn yn 1923 gyda'i ffrind, Gwilym R. Jones (a oedd wedi ennill yr un gystadleuaeth y flwyddyn cynt). Er na allai Caradog

Eleanor Jones (Roberts wedyn), y ferch a ddaeth yn gariad iddo ar ôl iddo ennill y Gadair yn Eisteddfod Gŵyl Ddewi Tal-y-sarn yn 1923

gofio testunau'i gerddi, roedd digwyddiad arall yn fyw iawn yn ei gof – cyfarfod Eleanor Jones.

> Roedd gan Gwilym R. hefyd ddawn ryfeddol i ramantu ynghylch genethod. Roedd pob geneth o'i gydnabod y soniai amdani yn troi'n dduwies ger fy mron. Fo roddodd fy nghariad Elinor imi'n wobr hefo Cadair Tal-y-sarn. Ac mor felys fyddai cael bwrw'r Sul yn y Cloth Hall, ei gartref clyd a thlawd – y Neuadd Frethyn, chwedl yntau. I'r Capel yn y bore ac eistedd yn sedd y teulu yn y cefn. Un o'm llygaid croes ar fawrhydi Robat Jones y Gweinidog yn y pulpud a'r llall ar ogoniant morynol Elinor yn ei sedd hefo'i theulu.

Merch i William Jones, dyn glo yn Nhal-y-sarn, oedd Eleanor (sillafiad Caradog oedd 'Elinor') ac aeth ymlaen i fod yn nyrs mewn ysbytai yng Nghaer, Lerpwl a Phenbedw. O fewn dyddiau i'w chyfarfod, roedd Caradog yn canu'i chlodydd mewn llythyr at Morris T. Williams: '. . . dymunwn ddweud wrthyt fod 'Fy Lili' yn dal yn wyn ac yn bur o hyd. Mae hi'n deip o burdeb, Moi, ac y mae ganddi fwy o synnwyr yn ei phen nag o nwyd yn ei gwythiennau. Dyna deip go brin yr adeg sy ohoni, ynte? . . .'

Syrthiodd Caradog mewn cariad dros ei ben a'i glustiau gydag Eleanor (a oedd ryw ddwy flynedd yn iau nag ef – fe'i ganed ar Fehefin 13, 1907) ac o fewn dim

'Y Lili' yn llawysgrifen Caradog Prichard. Dyma lungopi o'r hyn a ysgrifennodd yn Llyfr Llofnodion Eleanor ym mis Ebrill 1923

amser roedd wedi cyfansoddi cerdd iddi, 'Y Lili'. Ysgrifennodd y gerdd honno yn llyfr llofnodion Eleanor a chynhwysodd hi hefyd yn y llythyr a nodir uchod at Morris T. Williams.

Yr hyn sydd yn hynod ddiddorol ydyw i'r dudalen â'r gerdd arni gael ei thynnu o'r llyfr llofnodion a'i glynu, gan Eleanor, yng nghefn *Cerddi Caradog Prichard – Y Casgliad Cyflawn*, a gyhoeddwyd yn 1979. Ac mae'r Llyfr Llofnodion drwyddo draw yn drysor nid yn unig oherwydd ei gynnwys difyr ond hefyd oherwydd bod ynddo gerdd arall o waith Caradog Prichard. Soned yn dwyn y teitl 'Calon wrth Galon' yw honno yn llawysgrifen Caradog, gyda 'Caradog' o dani a'r dyddiad 1924.

> Fy nghalon oedd ynghlwm wrth galon un
> Pan roddodd imi fywyd ar ei bron,
> A chwlwm fyth nas datododd Angau'i hun
> Sy'n clymu 'nghalon i wrth hon.
> Er imi, dros rhyw gyfnod nwydus, drud,
> Roi calon ifanc i galonnau gau,
> A rhoi i ango aberth siglo'r crud
> A'r cariad bery'n hwy na thra bo dau,
> Daw amser i fyfyrdod yn y man,
> Fe'i gwelais eilwaith yn y 'gadair fawr';
> Ac yno, cyn noswylio, profodd ran
> O haeddiant mam, – o'r gadair gwelodd wawr
> Rhyw nefoedd wedi uffern, – nefoedd well
> Na nefoedd heb weld uffern ond o bell.

Roedd poen a phryder Caradog ynghylch cyflwr enbydus ei fam yn ddwys a difrifol iawn yn 1924 ac mae'n gwbl amlwg ei fod am i Eleanor, hefyd, fod yn ymwybodol o hynny, yn union fel y rhoes wybod am uffern ei fam yn y llythyr at Morris T. Williams a ddyfynnwyd uchod.

Y tro nesaf y daeth y gerdd hon i'r golwg oedd yn 1937 pan gyhoeddwyd *Canu Cynnar* Caradog Prichard. Mae'n werth dyfynnu'r soned fel yr argraffwyd hi'r adeg honno i weld sut y datblygodd ac y newidiodd dros y blynyddoedd, gan ennill teitl newydd.

GWAWR Y NEFOEDD WELL

> Fy nghalon oedd ynghlwm wrth galon un
>   Pan sugnwn fywyd ar ei thristaf fron,
> A chwlwm fyth nas detyd Angau'i hun
>   Sy'n clymu 'nghalon i wrth galon hon.
> Er imi, dros ryw gyfnod nwydus, drud,
>   Roi calon ifanc i galonnau gau,
> A rhoi i Ango aberth siglo'r crud
>   A'r serch a bery'n hwy na 'thra bo dau',
> Daw hamdden i fyfyrdod yn y man,
>   Fe'i gwelaf eilwaith yn y Gadair Fawr;
> Ac yno, cyn noswylio, daw i'w rhan
>   Wobrwy ei gyrfa, – dim ond gweled gwawr
> Rhyw nefoedd wedi uffern, – nefoedd well
> Na nefoedd heb weld uffern ond o bell.

Yn *Y Bont*, cylchgrawn Cymry Glannau Mersi, Rhif 60, Chwefror 1964, cawn erthygl gan Garadog Prichard yn adrodd iddo gael ei ddadrithio sawl gwaith yn ninas Lerpwl ac oni bai am un dadrithiad arbennig, meddai, 'synnwn i ddim nad un o alltudion Glannau Mersi fyddwn innau heddiw.' Eglura hyn drwy ychwanegu: 'Bûm am ysbaid yn gwibio tuag yno'n rheolaidd ar fotor beic i gadw oed â 'nghariad cyntaf. Ond ow! Daeth sarff i'r Eden "a dyfod rhwyg adfyd rhom". Carwn anfon fy nghofion serchog ati os digwydd iddi ddarllen y nodion hyn.' Ac, yn wir, roedd Eleanor *wedi* darllen y nodion hynny ac wedi rhoi marc pensel wrth ymyl y frawddeg olaf yn ei chopi personol o'r cylchgrawn.

Yma ac acw, hefyd, yng nghopi Eleanor o *Cerddi Caradog Prichard – Y Casgliad Cyflawn*, mae toriadau papur newydd wedi eu glynu – er enghraifft, hanes angladd Caradog yn 1980 a hanes marw Mattie yn 1994, ynghyd ag ambell nodyn arall, sy'n profi nad oedd Eleanor, chwarae teg iddi, hanner can mlynedd yn ddiweddarach, wedi anghofio'i pherthynas agos â Charadog.

Yn ei hunangofiant, *Rhodd Enbyd*, edrydd Gwilym R. hanes Caradog ac Eleanor ynghyd ag ymyrraeth Morris T. Williams yn y garwriaeth: 'Cafodd Caradog gariad, merch ifanc ddeniadol iawn o Dal-y-sarn ac, o ran direidi, fe'i "rhedwyd" o gan Morris a aeth am dro unwaith neu ddwy â'r ferch hon. Yr adeg honno yr oedd Caradog yn ymlwybro drwy anialwch anffyddiaeth ac anobaith, a sgrifennodd gerdd i Morris . . .' Yn ôl yr hyn a ysgrifennodd Caradog mewn llythyrau at Morris T. Williams ynghylch Eleanor, prin y gellid derbyn bod Caradog yn gweld llawer o 'ddireidi' yn y sefyllfa a chawn brawf pellach o hynny yn y gerdd y cyfeiria Gwilym R. ati, sef 'Y Cyfaill Gwell' a ysgrifennwyd tua 1925 ac a gyhoeddwyd gyntaf yn *Canu Cynnar*. Wrth ymyl y gerdd bwysig honno, yng nghopi personol Eleanor o *Cerddi Caradog Prichard – Y Casgliad Cyflawn*, ac yn llawysgrifen Eleanor ei hun, ceir nodyn: 'Morris – wedi dwyn ei gariad.' Cyfeirio at Morris T. Williams y mae, a gwyddom, o'r dystiolaeth yn llythyrau Caradog at Morris (a gedwir yn y Llyfrgell Genedlaethol), bod pethau wedi bod yn chwerw iawn rhyngddynt ynghylch Eleanor. Ac nid oes angen llawer o ddychymyg, felly, i ddyfalu pwy oedd y 'sarff' a ddaeth 'i'r Eden', ys dywedodd Caradog yn yr erthygl yn *Y Bont* yn 1964.

Y CYFAILL GWELL

Mi drof yn ôl at Dduw,
   Y Duw nas adwaen i,
Canys er mai bod anwybod yw
   Mae'n gyfaill gwell na thi.

Mae'n gyfaill gwell na thi,
   Lanc a anwylais cyd,

A chaiff y ffydd a chwelaist ti
   Eto feddiannu 'myd.

Cei 'ngweled eto'n mynd
   Yn ôl a blaen i'r Llan,
A'm cwyn yn drist, fel Crist, fy ffrind
   Dros ddyn a'i natur wan.

Ac O! maddeued Duw
   Fy siom fod Ef i mi,
Am mai rhyw fod anwybod yw,
   Yn gyfaill gwell na thi.

Ond fe adunwyd Caradog ac Eleanor ac fe barhaodd y garwriaeth drwy o leiaf ran o'r cyfnod y bu Caradog yn gweithio yn Nyffryn Conwy ac, o bosib, wedi hynny hefyd. Gwaetha'r modd, yr 'hel diod' fu'r maen tramgwydd unwaith eto a daeth y berthynas i ben o'r herwydd. Bu farw Eleanor ym mis Mehefin, 2000.

Cyfnod Dyffryn Conwy

Yn dilyn 'ffrae greulon' rhyngddo ef a'i bennaeth, W. G. Williams, yn Swyddfa'r *Herald*, daeth ei gyfnod yn raddol i ben yng Nghaernarfon – 'lle'r oeddwn yn bustachu byw a chysgod adfeilion y cartref ym Methesda yn fy rheibio ddydd a nos.' Gwysiwyd Caradog i swyddfa W.G. i egluro pam y bu iddo gymysgu rhwng pris menyn a phris wyau yn y farchnad.

W. G. Williams, Rheolwr yr
Herald Cymraeg

Eisteddai wrth ei ddesg, yn syllu'n fileinig i fyw fy llygaid croes. Minnau â'm gwep i lawr, yn llwfr ac edifeiriol. Yna clywed ei lais sbeitlyd fel colyn ar f'ymennydd: 'Mae'n rhaid bod rhywbeth yn bod ar eich llygaid.' Cael ffit o'r llid. Llid yr afal drwg. Colli pob rheolaeth. Ei alw yn ddiawl ac edliw iddo yntau'r nam ar ei goes. A dyna hi'n stremp. O'r munud hwnnw nid oeddwn mwy yn Is-Olygydd yr *Herald*.

A dyna'r adeg y cofiodd am yr hen uchelgais fu ganddo 'o fynd yn Berson'. Trefnodd i gael cyfweliad gyda Warden Hostel yr Eglwys ym Mangor, gyda golwg ar gael ysgoloriaeth i fynd i'r Coleg. Ond aflwyddiannus fu ei gais a 'dyna ddiwedd ar fy mreuddwyd am Ei Ras y Parchedicaf Caradog Prichard, Archesgob Cymru.' Yn ôl, felly, i grefu am faddeuant gan W.G. ac fe'i cafodd – ond ymhen ychydig cafodd wŷs eto at W.G. a gyhoeddodd wrtho ei fod wedi penderfynu ei anfon 'i gynrychioli'r *Herald* yn Nyffryn Conwy gyda Llanrwst yn ganolfan.'

Tua 1924, ac yntau oddeutu 19 oed, yr aeth Caradog Prichard i weithio i Lanrwst – 'i gychwyn ar gyfnod byr fu gyda'r dedwyddaf a'r truenusaf yn fy hanes.' Bu'n symud o lety i lety am ychydig amser. Bu'n aros yn y Plas Isaf (hen gartref William Salesbury) ac meddai am y llety hwnnw: 'a lovely old stone cottage standing in its own grounds . . . I stayed with dear Mrs Roberts, a widow

Sgwâr Llanrwst tua'r cyfnod yr oedd Caradog yn gweithio yn Nyffryn Conwy. Gwelir Caffi Gwydyr
(lle bu'n lletya am gyfnod) a Siop Star (a grybwyllir isod) i'r dde o ganol y llun

with two sons, Howell and Wally. Wally, about 10 years old, died of pneumonia
while I was there . . . I should have breathed and inhaled much more inspiration
during my stay at William Salesbury's house.' Bu hyd yn oed yn lletya 'mewn tŷ

Plas Isa

The Old Brewery – yr adeilad a welir ym mhen draw'r stryd (a oedd dan ddŵr pan dynnwyd y llun)

ag iddo'r enw gogleisiol The Old Brewery. Bu llawer o dynnu coes yn llythyrau Prosser Rhys ar gorn fy nghyfeiriad.'

Ymhen ychydig, daeth o hyd i'w ddinas noddfa mewn tŷ o'r enw Trosafon (hen weithdy teiliwr y bardd Trebor Mai, fel mae'n digwydd) 'gyferbyn â'r post, a chael Mrs Davies annwyl a'i merch fwyn, Sali, yn fam a chwaer maeth' iddo.

Trosafon yn Ffordd yr Orsaf yw'r adeilad cyntaf o liw golau ar y chwith

Yn ogystal â hynny, 'fy ail gartref,' meddai, oedd caffi Ewart (William Ewart Roberts) a Myfanwy, ei wraig, ym Metws y Coed. 'Roedd Ewart a minnau rywbeth yn debyg o ran pryd a gwedd a chymerid ni'n aml fel dau frawd. Ac ni bu dau frawd closiach at ei gilydd erioed nac erioed gartref lle bûm yn teimlo'n gymaint rhan ohono nag Arfon House . . .'

Arfon House, Betws y Coed (Siop ddillad ac offer awyr agored 'Cotswold' yn 2005)

Gwnaeth lawer iawn o ffrindiau yn Llanrwst, 'yn eu plith rai o brif fasnachwyr y dref: Jones y Star, William Hughes Siop Sgidiau, ei frawd, Hughes y siop bapurau, Griffiths Siop E.B., Smith Williams, Jones y Library . . .' a Morley Jones, pensaer a gohebydd lleol y *Weekly News* a Doctor Huw, a'r twrneiod Howell Jones a David Thomas.

Siop E. P. Jones (Siop E.B. ar lafar yn Llanrwst)

Siop 'Sgidiau William Hughes

Roedd yn hapus iawn yn Nyffryn Conwy a châi lwyddiant wrth ei waith. Prynodd fotor-beic AJS ail-law ac ar ôl ei 'ladd' mewn damwain ger Trefriw bu'n ddi-feic am gyfnod nes cael motor-beic Raleigh i barhau ar ei deithiau Jehu drwy'r fro.

Cyfnod cymharol fyr a dreuliodd Caradog yn cynrychioli'r *Herald* yn Nyffryn Conwy gan i E. Prosser Rhys gynnig chweugain yr wythnos yn fwy o gyflog iddo am weithio i'r *Faner* 'ac mi a'i derbyniais yn llawen,' meddai Caradog, 'ar ôl marathon o ffrae ar y ffôn hefo W.G. yng Nghaernarfon.' Lluosog-odd nifer ei ffrindiau fel yr ychwan-egai at ei gylch gwaith ac roedd ganddo gysylltiadau mor bell â Llandudno i'r gogledd a Blaenau Ffestiniog i'r de. Un a gaiff sylw arbennig ganddo yn *Afal Drwg Adda* yw'r Parchedig J. P. Davies, gweinidog ifanc yn ei ofalaeth gyn-taf yng Nghapel Curig.

Y Parchedig J. P. Davies a'i ferch, Llinos, yn 1928

64

Awn ato'n rheolaidd ar y Raleigh a chaem bnawn cyfan hefo'n gilydd yn cyfnewid profiadau, yn cyffesu beiau, yn yfed te ac yn cael maeth i'r ysbryd yng nghwmni ein gilydd. A fi bob amser fyddai'n cael y fargen. Byddwn yn teimlo'n llawnach fy nghalon ac yn lanach fy meddwl ar ôl pob ymweliad â J.P. yn ei lety a chododd f'ysbryd o'r dyfnderoedd lawer gwaith. Roedd rhyw angerdd dwys yn perthyn iddo, a hwnnw yn fy mhorthi innau fel porthi batri gwan â thrydan. Cofiaf fynd i'r galeri yng Nghapel Seion, Llanrwst, i wrando arno'n pregethu un nos Sul. Ni chofiaf ei destun na rhediad ei bregeth. Ond mi gofiaf iddo gael yr un dylanwad dyrchafol arnaf o bulpud Seion ag a gaffai o'i gadair ac wrth y bwrdd yn ei lety . . .

Ar ôl iddo dderbyn cais Prosser Rhys i drosglwyddo'i deyrngarwch o'r *Herald* i'r *Faner*, aeth i gyfarfod Prosser am y tro cyntaf yn Swyddfa'r *Faner* ar lawr uchaf prif adeilad y *Cambrian News* yn Terrace Road, Aberystwyth.

Caradog Prichard ac E. Prosser Rhys

Meddai yn *Afal Drwg Adda*, wrth groniclo'r argraff gyntaf a wnaeth Prosser arno:

Yr oedd mor hardd a hawddgar ag y disgwyliais ei gael . . . wyneb bardd os bu un erioed . . . Syllai'r llygaid gloywon, dwys yn freuddwydiol arnaf wrth ysgwyd llaw. A'i eiriau cyntaf wrthyf oedd geiriau Elfed:

O'm blaen mae wynebau ag ôl y dymestl arnynt
A chreithiau y brwydrau gynt sydd yn siarad drostynt.

65

Dyma'r bachgen oedd wedi anfon ei 'gofion mwynion' ataf yn fy nhrybini eithaf, a chwpled o waith Elfed a ddyfynnodd y tro hwnnw hefyd:

> Dioddef yw penyd bardd ym mhob oes
> A ffordd y gwron yw ffordd y Groes.

Daeth y ddau'n gyfeillion agos a chyfeddyf Caradog ei ddyled i Prosser am geisio lledu ei orwelion yn y dyddiau cynnar hynny 'trwy anfon imi, o dro i dro, gyf-rolau o farddoniaeth Saesneg fel *Lollingdon Downs* a *Dauber* John Masefield, *Shropshire Lad* Housman, a cherddi Thomas Hardy a W. H. Davies . . .'

Pan symudodd Caradog at y *Faner*, anfonwyd un a arferai gydweithio ag ef yng Nghaernarfon, Gwilym Williams (yn wreiddiol o Gwm y Glo) i gymryd ei le i gynrychioli'r *Herald* yn Nyffryn Conwy. Meddai Caradog: '. . . bu hynny'n

Gwilym Williams, Cwm y Glo

gychwyn cyfeillach glòs a chynnes rhwng Gwilym a minnau . . . Er ein bod yn cystadlu am ddar-llenwyr, roedd dealltwriaeth a chytgord perffaith rhyngom . . .'

Symudodd Gwilym ymlaen i weithio ar y *Guard-ian* tua'r un pryd ag yr oedd Caradog yn brif is-olygydd tramor y *News-Chronicle* yn Llundain a chadwodd y ddau mewn cysylltiad agos â'i gilydd ar hyd y blynyddoedd. Gwaetha'r modd, ar ôl treulio gwyliau'n cerdded, cafodd Gwilym ddolur ar ei droed a bu farw'n ddisyfyd o *septic pneumonia* o ganlyniad i wenwyn yn y dolur. Yn *Tantalus: Casgliad o Gerddi*, cyhoeddodd Caradog 'Galar am Gwilym (Gwilym D. Williams, Cwm y Glo)':

> Tymor byr tu yma i'r bedd – a gafodd,
>   Gyfaill De a Gogledd;
>   Addewid fu'i ddiwyd wedd
>   Diaddewid ei ddiwedd.
>
> Ni ddaw heno ddiddanydd – i rodio
>   Dros y gwridog foelydd;
>   Di-ystyr dwy stori'r dydd,
>   Rhin awen papur newydd.
>
> Ac yn y llesg enau llym – arhosodd
>   Brysiog air yn ddi-rym;
>   Darfu gwrid ei yrfa a'i grym,
>   Hunodd a gwelwodd Gwilym.

> Gwae, Haf, fy mynych gofio – am heulwen
> Mewn cymylog amdo,
> Am ei fud fachlud efô
> Ac am oerni'r Cwm arno.

Daeth ergyd enfawr i ran Caradog Prichard tra oedd yn Nyffryn Conwy:

> . . . cefais alwad i Fethesda i fynd â Mam a oedd wedi llwyr dorri i lawr dan faich gorthrymderau, i'r Seilam yn Ninbych. Cofiaf ddychwelyd i Lanrwst, ar ôl y daith ofidus i Ddinbych, yn ddychryn ac yn ddagrau. Mi es yn syth o'r Stesion i Gaffi Gwydr, lle'r oeddwn yn aros ar y pryd . . . a rhoi fy mhen ar y bwrdd a chrïo, tuchan crïo'n ddistaw, a heb eto ddod ataf fy hun ar ôl profiad alaethus y dydd . . .

Cofiwn fel y cofnododd hanes mynd â'r fam i'r Seilam yn *Un Nos Ola Leuad* ac fel y disgrifia'r crïo (tt.173-174):

> A wedyn dyma fi'n dechra crïo. Nid crïo run fath â byddwn i erstalwm ar ôl syrthio a brifo; na chwaith run fath â byddwn i'n crïo mewn amball gnebrwng; na chwaith run fath ag oeddwn i pan aeth Mam adra a ngadael i yn gwely Guto yn Bwlch erstalwm.
> Ond crïo run fath â taflyd i fyny.
> Crïo heb falio dim pwy oedd yn sbïo arnaf fi.
> Crïo run fath â tasa'r byd ar ben.
> Gweiddi crïo dros bob man heb falio dim pwy oedd yn gwrando . . .

Ac meddai, ar raglen deledu ddechrau'r 1970au:

> Mae 'na un digwyddiad yn 'y mywyd i sy'n allweddol i fy holl waith i a hwnnw oedd i mi orfod mynd â fy Mam i'r Seilam pan oeddwn i ryw ddeunaw oed . . .

Edrych tuag at ffrynt y Seilam yn Ninbych

Teithiai Caradog yn rheolaidd o Lanrwst ar gefn ei fotor-beic Raleigh i weld ei fam yn Ninbych. Ond wrth i gyflwr meddyliol Margaret Jane ddirywio – a hithau'n prysur golli 'nabod ar ei mab – aeth ei ymweliadau'n llai mynych ac yn anamlach fyth pan symudodd o Ddyffryn Conwy a mynd i weithio i Gaerdydd. Cofiwn ran o'r Prolog yn y bryddest 'Penyd' sy'n cyflwyno darlun cryno, a thrist, o ymweliad Caradog â'r Seilam:

> Pa un, syr? O 'nacw'n y gornel draw?
> 'Dyw hi ddim cynddrwg â'r lleill,
> Ond mwmian fel yna y bydd hi'n ddi-daw
> Wrth ben ei hosan a'i gweill.
>
> Dim trafferth o gwbl, syr, ond tipyn o stŵr
> Pan ddaw un o'i phyliau ar dro;
> Dywedant mai poeni ar ôl ei gŵr
> A'i gyrrodd hi, druan, o'i cho.
>
> Wrth y ffenest acw, y bellaf o'r drws,
> Mae'n pensynnu trwy gydol y dydd;
> A'i gwallt, syr? On'd yw o'n bictiwr tlws?
> Mae o'n wynnach na'r gwynnaf y sydd.

Anfonai flodau ati o bryd i'w gilydd – a hynny o siop Harrods wedi iddo symud i Lundain – a cheisiai gysur yn hynny i leddfu mymryn ar yr euogrwydd hwnnw a deimlai ynghylch ei berthynas â'i fam. Diffiniodd hynny yn *Afal Drwg Adda*: 'Rhyw bigyn yng nghraidd y cydwybod yn f'atgofio am y pryder mynych a roddais iddi ac yn haeru iddo gyfrannu tuag at ei gwaeledd.' Mae'n debyg ei fod wedi teimlo i'r byw pan dderbyniodd lythyr o'r 'North Wales Counties Mental Hospital, Denbigh' wedi'i ysgrifennu gan 'M. Jones (nurse)' ar ran ei fam. Gwaetha'r modd, does dim dyddiad ar y llythyr hwn (sydd ymhlith papurau Caradog yn y Llyfrgell Genedlaethol) ond mae'n werth ei ddyfynnu'n llawn:

Dear Caradog,

Thank you very much indeed for the parcel received this morning. It was a most pleasant surprise.

The cardigan was most acceptable as my other was getting rather worn, and I feel the warmth of the new one this cold weather. Also the slippers are warm & comfortable.

I hope you are keeping quite well. I am just the same, still enjoying good health.

Cofion goreu i Garadog a'r teulu i gyd.

Oddi wrth
Mam

Y Voelas Arms, Pentrefoelas

Tra oedd Caradog yn gweithio yn Nyffryn Conwy, galwai'n rheolaidd ym Mhentrefoelas. Un tro, pan oedd yn gwneud adroddiad i'r *Faner* am dreialon cŵn defaid yn yr ardal, galwodd yn y dafarn leol, y Voelas Arms. Yn ei eiriau ef ei hun, 'cefais fy sugno i mewn i nythaid o feirdd-amaethwyr, gwŷr garw y tir glas, oedd yn lawen gyfeddachu mewn cornel neilltuedig . . . [Y] seiat yn y Foelas oedd f'Ysgol Farddol gyntaf . . .'

Ac roedd i Bentrefoelas bwysigrwydd yn y maes eisteddfodol ehangach gan y cynhelid yno eisteddfod flynyddol o gryn bwys. Yn 1924, roedd Prosser Rhys wedi ennill y Goron yn Eisteddfod Genedlaethol Pont-y-pŵl gyda'i bryddest 'Atgof' a Dewi Morgan wedi ennill Cadair Eisteddfod Pentrefoelas am gerdd ar y testun 'Pethau nad anghofiaf byth.' Meddai Caradog: 'Pwynt o ddiddordeb llenyddol am y ddwy bryddest yw mai fel arall y gallai fod wedi digwydd. Bwriad cyntaf Prosser oedd anfon "Atgof" i gystadleuaeth Eisteddfod Pentrefoelas, a Dewi wedi arfaethu anfon ei gerdd yntau i Bont-y-pŵl. Ond cytunodd y ddau i newid meddwl gyda'r canlyniad a gofnodwyd.'

Roedd Caradog wedi cystadlu yn yr un Eisteddfod 'ac wedi canu am fy mhrofiadau wrth ymweld â'r Seilam' ond rywle tua chanol y rhestr y gosodwyd ei gerdd gan Cynan, y beirniad. Ond fe ddechreuodd ennill ambell Gadair mewn mân eisteddfodau (er enghraifft, Cadair Eisteddfod Penmachno, ac ef a gipiodd y Gadair yn Eisteddfod yr Annibynwyr yn Llanrwst yn 1926). Roedd y llwyfan bron yn barod i fuddugoliaeth fwy!

Yn Nyffryn Conwy, trowyd ei ben – unwaith eto – gan brydferthwch merch.

A'm cysylltiad, neu'n hytrach fy niffyg cysylltiad, â Bet fydd un o'r pethau cyntaf i neidio i'r cof pan fyddaf yn troi a throsi atgofion am fy nghyfnod o ryw dair neu bedair blynedd yn y Dyffryn. Fe'i gwelais hi am y tro cyntaf yn fuan ar ôl mynd i Lanrwst, pan fentrais i'r côr yn hen Eglwys Crwst. Roedd yn eistedd hefo'r sopranos gyferbyn â mi. Ac o'r funud y cyfarfu ein llygaid trawyd fi gan dwymyn na chefais lwyr wellhad ohono hyd y dydd heddiw. Hiraethwn amdani beunydd a breuddwydiwn amdani beunos. Codwn yn fore a cherdded ar hyd ffordd Llanddoget gyda'r unig bwrpas o gael troi'n ôl a'i chyfarfod ar ei ffordd i'r ysgol. Pasiai hithau fi gan edrych yn syth o'i blaen a heb gymaint â 'Bore Da'. Trown i mewn i ddawnsfeydd yn neuadd yr Eglwys, nid yn wir i ddawnsio, gan na fedrwn ddawnsio, a chan amlaf wedi cael diferyn neu ddau, ond yn hytrach i eistedd a syllu ar Bet yn dawnsio â'i chymar ac i droi allan drachefn ac i mewn i far Tafarn yr Eryr i dampio fy nhwymyn ac i foddi fy siom . . . A! ferthyrdod ffôl. Pam na allai rhywun fy mherswadio bod Bet wedi rhoddi ei chalon i arall a rhoddi pen ar fy nihoeni?

Cadair Eisteddfod yr Annibynwyr, Llanrwst, 1926

Hanner can mlynedd yn ddiweddarach, daeth 'gwraig â gwên siriol' ato ac yntau'n ei hadnabod yn syth:

'Bet!' meddwn mewn perlewyg. A dyna'r geiriau cyntaf fu rhyngom erioed . . . Yna daeth ei phriod atom. Sam Williams, Dyffryn Aur a Bulawayo. A phan welais Sam, mi sylweddolais pam na bu gennyf erioed y siawns leiaf o ennill calon Bet.

Bet a Sam gyda'u plant tua 1944

Treuliodd Caradog Prichard ryw ddeufis tua chanol y 1920au yn 'llenwi bwlch' ar staff y *Cambrian News* yn Aberystwyth. Y 'Bos' oedd Bertie Read, gŵr a wnaeth gymwynas fawr iawn â Charadog (fel â sawl un arall yn ôl pob sôn). Edrydd Caradog yr hanes:

> Oherwydd rhyw anghaffael yn nyddiau babandod, diffoddwyd cannwyll fy llygaid chwith ac roedd tro ynddi a roddai imi lygaid croes. Parai hyn lawer o ofid imi pan ddeuthum yn ymwybodol nad oedd fy ngolygon yn union fel rhai fy nghyfoedion. Ac mae'n amlwg ei fod wedi cyffwrdd teimladau tadol y Bos.

Fe dalodd Bertie Read iddo weld optegydd ac fe'i cynghorodd i fynd i ysbyty yn Lerpwl i gael triniaeth i unioni'r diffyg.

> Bûm yn yr ysbyty yn Lerpwl am saith wythnos a chael dwy driniaeth . . . Yn yr ysbaid rhwng y ddwy driniaeth, awn o amgylch y ward â chadach am un llygad. A dyma'r unig dro, cyn belled ag y cofiaf, imi fod yn euog o lunio graffiti mewn tŷ bach. Cyn ei adael un bore, sgrifennais mewn llythyren fras â phensel las: 'Y llygad dwys dan ddwys ddôr,/Y llygad na all agor' . . . A chwarae teg i Bertie Read unwaith eto, roedd wedi anfon fy nghyflog llawn imi'n rheolaidd bob wythnos i'r ysbyty.

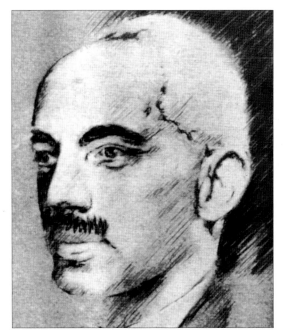

Bertie Read, y 'bos' yn y Cambrian News *yn Aberystwyth*

A chawn glo hyfryd i'r stori yn *Afal Drwg Adda*. Ar ôl cael y driniaeth ar ei lygaid a dychwelyd i Lanrwst, y 'peth cynta wnes i oedd mynd i siop Alfred Hughes i gael tynnu fy llun, a holl falchder f'ugeinmlwydd yn fy safiad ac yn fy syllu syth i lygad y camera.'

Dewi Morgan

Gŵr arall y cyfarfu Caradog ag ef yr un pryd ag y gwelodd Prosser Rhys am y tro cyntaf yn Aberystwyth oedd Dewi Morgan:

> . . . gŵr mewn oed a'i lygaid yntau'n loywon a'i ruddiau'n ddrychau o iechyd a chryfder, a'i wallt yn glaer wyn – y bardd Dewi Morgan – Dewi, y cefais gymaint o'i gwmni melys ac o'i ddoeth-ineb rhadlon, a noddfa hyfryd ar ei aelwyd dros dro. Yno'n lletya yr oedd myfyriwr ifanc o'r enw D. Gwenallt Jones. Ymwelydd mynych ar aelwyd Dewi hefyd fyddai'r bardd T. Gwynn Jones . . .

A chydnebydd ei ddyled iddo: 'Gan Ddewi . . . y cefais i ddod i adnabyddiaeth am y tro cyntaf â meistri'r gynghanedd fel Siôn Cent, Tudur Aled ac eraill . . . a chael maethu f'ysbryd â'i ysbryd coeth ac â dewiniaeth ei leferydd doeth.' Ac er i Dewi Morgan osod cerdd goffa Caradog i Prosser Rhys yn bedwerydd allan o bedwar ymgeisydd yn Eisteddfod Genedlaethol Aberystwyth, fel hyn yr ysgrifennodd Caradog amdano yn *Afal Drwg Adda* yn 1973: 'Bu Dewi fyw i basio'i ddeg a phedwar ugain, ac er bod amser wedi pylu gwawr yr hen gyfathrach felys, fer, aeth ochenaid fach na ŵyr y byd amdani i'w hebrwng oddi yma.'

Caradog, Dewi Morgan ac E. Prosser Rhys

Yn 1927, ac yntau'n dal yn Llanrwst, ac o fewn tri mis i fod yn 23 oed, cyflawnodd Caradog y cyntaf o'i gampweithiau eisteddfodol. Enillodd y Goron yn Eisteddfod Genedlaethol Caergybi am ei bryddest 'Y Briodas' – yr enillydd ieuengaf erioed. Beirniaid cystadleuaeth y Goron y flwyddyn honno oedd W. J. Gruffydd, R. Williams Parry ac Emyr. Edrydd Caradog hanes cyfansoddi'r gerdd yn *Afal Drwg Adda* (t.96):

> Fe'i sgrifennwyd . . . yn Nhrosafon [ei lety ar y pryd], a hynny o dan amgylchiadau delfrydol. Roeddwn yn byw fel y dylai bardd gael byw, heb ormod o waith ac ar gyflog bychan, a oedd yn ddigon i fyw arno o ddydd i ddydd. Y testun a osodwyd . . . oedd, os cofiaf yn iawn, 'Unrhyw ramant a glannau Menai yn gefndir iddi.' Rhydd i bob barn ei llafar ac i bob bardd ei ddehongliad, er nad oedd pob beirniad cyfoes yn cytuno â hynny. I siwtio'r thema bu'n rhaid imi grwydro pum milltir o lannau Menai i Ddyffryn Ogwen a throi'r rhamant yn 'rhamant dau enaid.' Roedd y gân wedi ym-lunio yn fy meddwl ers tro byd cyn meddwl am Eisteddfod Caergybi, ond erbyn hyn roeddwn yn dynn yng ngafael ysfa gystadlu . . .

Yn *Afal Drwg Adda* (t.32), mae'n datgelu hanesyn bach ddiddorol a ddigwydd-asai pan oedd yn byw gyda'i fam yng Nglanrafon, Gerlan, ac yntau'n ddisgybl yn yr Ysgol Sir ar y pryd. Y digwyddiad hwnnw a roes iddo thema 'Y Briodas':

> . . . o edrych yn ôl, credaf mai yng nghyfnod Glanrafon y disgynnodd yr had a eginodd a blodeuo yn bryddest 'Y Briodas' . . . Byddai henwr mwyn a locsyn gafr yn addurno'i wedd siriol yn dringo'r allt bob dydd i'w gartref ymhellach i fyny'r bryn. Arhosai'n aml am sgwrs yn y drws hefo Mam a chawn innau ambell geiniog o lwgrwobrwy ganddo. Gŵr gweddw cefnog oedd ac mae'n rhaid ei fod wedi ceisio rhoddi ei het ar yr hoel hefo Mam. Bu hithau'n trafod hefo mi y cwestiwn o ailbriodi, a chefais argraff plentyn ei bod mewn tipyn o benbleth. Ond efallai mai yn fy mhen a'm dychymyg i yn unig yr oedd y benbleth. Byddwn yn syllu mewn blys a chenfigen ar dŷ hardd y gŵr gweddw ar ben y bryn ac yn meddwl mor braf fyddai cael symud iddo o'n murddun llwm ni yng Nglanrafon. Ac yn breuddwydio am gael stydi braf yn llawn o lyfrau. A chael mynd i'r Coleg ym Mangor. Nid wyf yn siŵr erbyn hyn a fu'r mater yn benbleth o gwbl i Mam. Mae'n debycach gen i mai fi, yn fy myfyrion am ramant dau enaid, ddaru greu'r benbleth; a thrwy hynny gael thema pryddest 'Y Briodas', sef ffyddlondeb gweddw i'w gŵr marw a'r ymrafael 'rhwng ysbryd pur a chnawd.'

Hon oedd yr Eisteddfod Genedlaethol gyntaf i Garadog fod ynddi a 'rhyw fihafio'n ddigon rhyfedd wnes i yng Nghaergybi. Aethai si ar led fod Bardd y Goron i'w arwisgo am y tro cyntaf. A hynny mewn gwisg ryfedd ac ofnadwy. Sgrifennais lythyr at yr Archdderwydd Elfed yn dweud y gwrthodwn gael fy nghoroni yn hytrach na gwisgo'r wisg ddychrynllyd, ac yn galw beirdd yr Orsedd

Coron Caergybi 1927

yn asynnod. Fuo rioed ffasiwn helynt mewn Eisteddfod. Ni sylweddolais faint fy nhrosedd nes gweld y papurau drannoeth, a thrennydd, a thradwy. Yn wir, aeth y stori rownd y byd a mawr fu'r ffrae a'r dadlau am wythnosau. Cafodd hyd yn oed *Punch* hwyl fawr arni.' Yn *Y Ford Gron*, Awst 1931 (Cyfrol 1, Rhif 10), mewn erthygl dan y teitl 'Cael fy Nghoroni', dywed iddo dderbyn llythyr o Detroit: 'I'r Mul mwyaf yn Eisteddfod Genedlaethol Cymru. Dyma farn ostyngedig merch Gymraeg o'r Unol Daleithiau ohonoch. It was too bad of you to endeavor to upset all our dear old traditions. Quite too bad! Cymru am Byth!'. Ac meddai Caradog: 'Dyna fo. Welsh-American i'r dim, onid e?'

Mae un adran o bryddest 'Y Briodas' yn adnabyddus a phoblogaidd tu hwnt. Fe ganwyd ac fe adroddwyd 'Cân yr Afon' rai cannoedd o weithiau, mae'n debyg, dros y blynyddoedd. Mae Afon Ogwen yn llifo i lawr o Lyn Ogwen ac yn ymddolennu'n ddiog ar lawr gwastad Nant Ffrancon cyn cyflymu a byrlymu'n frochus heibio i Dy'n y Maes (lle'r arferai cyfansoddwr y dôn 'Andaluasia', William Roberts, yr ostler, newid ceffylau'r Goits Fawr) ac yna arafu'n dawel wrth gyrraedd Pont-y-Tŵr. Ac yno, wrth yr hen bont dri-bwa sydd oddeutu pedwar cant oed, fe welwn y pwll bach diog a ddenodd sylw Caradog.

Dyma'r Afon yn siarad yn 'Y Briodas':

> Mae'r daith i lawr y Nant yn hir
>   A'r nos yn dawel, dawel,
> A melys, pan ddaw pelydr clir
>   Y wawr ar frig yr awel,
> Fydd stelcian ennyd wrth Bont y Tŵr
> Yn llyn bach diog wrth Bont y Tŵr.
>
> Tra byddo'r glasgoed ar y lan
>   Yn paentio 'mron â'u glendid

Y llyn bach diog wrth Bont-y-Tŵr

Caf lwyr anghofio'r creigiau ban
   Sy'n gwgu ar fy ngwendid,
A siglo, siglo rhwng effro a chwsg
Yn llyn bach diog wrth Bont y Tŵr.

A thoc caf wrando tramp y traed
   Ar dâl y bont yn curo,
Pob troed ar gyrch i frwydr ddi-waed
   Rhwng llechi'r gwaith a'i ddur o,
I ennill bara dan wg y graig
A bwrw y diwrnod dan wg y graig.

Ac ambell fore fe fydd lliw
   Y gwyrddail llaith yn duo,
A deudroed sionc ynghwsg o'r criw
   A'r awel yn eu suo;
A gwg y graig fydd fwy bryd hyn,
A'u harswyd arnaf yn fwy bryd hyn.

Ac os bydd dau gynefin droed
   Yfory'n fud o'r dyrfa
A'r creigiau ban a dail y coed
   Yn gwgu ar fy ngyrfa,
Caf stelc er hynny wrth Bont y Tŵr,
Yn llyn bach diog wrth Bont y Tŵr.

Mae'r 'llyn bach diog' yr un mor ddiog o hyd, pan na fydd llif yr Ogwen ar ei anterth, a gellwch ei weld wrth edrych i'r chwith dros Bont-y-Tŵr i fyny'r afon.

Yn gyfochrog â'r afon, cawn ffordd gul dan gysgod coed sy'n arwain at Chwarel y Penrhyn a byddai minteioedd o chwarelwyr, wrth fynd at eu gwaith o gyfeiriad Bethesda a threflannau cyfagos, yn croesi Pont-y-Tŵr bob bore a cherdded ar hyd y ffordd hon ger Afon Ogwen i gyrraedd y gwaith. Cafodd yr ardal goediog sydd ar ochr dde'r ffordd sylw arbennig yn ystod y Streic Fawr oherwydd mai yn y fan honno y llechai gwragedd y streicwyr yn hwtian drwy gregyn ar y bradwyr yn mynd at eu gwaith.

Y ffordd gul sy'n arwain at Chwarel y Penrhyn,
gydag Afon Ogwen yn llifo'n gyfochrog â'r ffordd,
a Pharc Bryn-llwyd ar y dde. Dyma'r ffordd a
droediai tad Caradog wrth fynd yn ôl
a blaen at ei waith bob dydd

Ond er gwaethaf – neu, efallai, oherwydd – yr holl sylw a ddenodd yng Nghaergybi, cafodd Caradog wahoddiad, tua diwedd 1927, gan Syr William Davies, Golygydd y *Western Mail*, i ymuno â staff y papur hwnnw yng Nghaerdydd.

Adeilad y Western Mail *yng Nghaerdydd*

Cyfnod Caerdydd – a Mattie

Oedodd Caradog cyn derbyn gwahoddiad Syr William Davies ond '. . . wedi peth petruso fe'i derbyniais, gan dawelu cydwybod â'r ffaith fy mod, er yn gadael papur wythnosol Cymraeg am bapur dyddiol Saesneg, a hynny am ddwbl cyflog y *Faner*, yn aros yng Nghymru. Buan y dadrithiwyd fi . . .' meddai, 'Ar ôl bywyd hamddenol, cymdogol, Cymraeg Dyffryn Conwy, yr oedd byd a bywyd Caerdydd yn hollol aliwn i mi.' Ond nid drwg i gyd 'chwaith oherwydd yn ystod ei wythnos gyntaf yn y brifddinas, anfonwyd ef gan ei bapur i Gyfarfod Gwobrwyo y Cardiff High School for Girls.

Ysgol Uwchradd y Merched, Caerdydd

A dyna lle cyfarfu â Mattie (neu Mati, fel yr amrywid y sillafiad ar ei henw) – ei briod yn ddiweddarach – am y tro cyntaf a hithau'n ddisgybl yno ac yn aelod o gôr yr ysgol.

Ni chafodd gwrdd â phrifathrawes yr ysgol, Miss Frances Rees, yn y cyfarfod hwnnw ond edrydd amdani yn *Afal Drwg Adda* fel a ganlyn:

Mattie

. . . mi glywais gymaint o straeon amdani ac o glodfori arni gan Mati'r wraig nes ei bod yn rhan o chwedloniaeth deuluol. A chawsom gyfarfod yn Eisteddfod y Barri, 1968, pan gawsom barti yn ein gwesty i ddathlu pen-blwydd Mari'r ferch yn un ar hugain oed. Roedd Miss Rees erbyn hynny ar drothwy ei phedwar ugain a derbyniodd wahoddiad i'r parti, gan ei bod yn byw ym Mhenarth. Roedd mor heini â'r un ohonom a chawsom air o anerchiad doeth a dwys ganddi. Syrthiais dros fy mhen a'm clustiau mewn cariad â hi ['Made my week', meddai yn ei ddyddiadur] a'r Nadolig dilynol anfonais gân serch ar gerdyn iddi, yn Saesneg.

A dyma'r gân serch honno, a gafwyd ymhlith papurau Caradog Prichard yn y Llyfrgell Genedlaethol:

78

To Frances Rees

One time headmistress of Cardiff High School for Girls,
where I first saw my wife Mattie.

Miss Rees and I met for the first time at the 21st birthday party
of our daughter Mari in a Barry hotel.

> *If you were eight and I was seven*
> *And we had met at school,*
> *Oh! wouldn't Love be very Heaven*
> *Seen in a fairy pool?*

> *If we had met in bright teen-age*
> *Eighteen against seventeen,*
> *How we'd have posed on Love's old stage,*
> *Behind a rose-tinted screen.*

> *But you were eighty, and seventy I*
> *When we crossed in Life's Hotel,*
> *Then Love was but seeing eye to eye*
> *And the ring of a distant bell.*

> *So now that it can mean no more*
> *Than seeing eye to eye,*
> *If, for Approve you'll read Adore,*
> *I'll love you till I die.*

Christmas 1970

Oherwydd na allai gymryd at y bywyd a'r gwaith newydd yng Nghaerdydd, chwiliai am 'ynysoedd' dihangfa. Un ohonyn nhw oedd Tafarn y Cottage yn Heol y Santes Fair, lle cwrddai â chyfeillion megis Idwal Jones, y bardd o Benygroes, a Louis Thomas, cofrestrydd Coleg Caerdydd. Roedd Caradog hefyd yn aelod ffyddlon yng Nghapel Minny Street ac, yn ôl pob sôn, yn gryf ei ffydd yr adeg honno. Erbyn hyn, roedd Morris T. Williams a Kate Roberts wedi priodi ac yn byw yng Nghaerdydd a galwai arnyn nhw o bryd i'w gilydd, fel y galwai ar Iorwerth Peate, Sam Jones (a gydweithiai ag ef ar y *Western Mail*) a Tom Parry (Syr Thomas Parry yn ddiweddarach), a oedd yn ddarlithydd ar y pryd yn Adran y Gymraeg, Coleg y Brifysgol, Caerdydd.

Ond serch ei holl gysylltiadau a'i ffrindiau yn y ddinas, roedd rhywbeth yn ei boeni'n arw. 'Roeddwn wedi colli'r ymweliadau cyson â'r Seilam yn Ninbych a'r cyfle wythnosol i ymdrybaeddu ym mhwll fy hunan-dosturi,' meddai yn *Afal Drwg Adda*, cyn datgelu'r digwyddiad a roes fod i'w bryddest 'Penyd':

Tom Parry a Charadog Prichard

Un noswaith yn fy llety agorais y Beibil a dod ar ddamwain ar draws yr adnod ryfedd hon yn Llyfr y Datguddiad: 'A rhoddwyd i'r wraig ddwy o

Picton Davies, awdur Atgofion Dyn Papur Newydd, *un o gydweithwyr Caradog ar y* Western Mail

adenydd eryr mawr fel yr ehedai hi i'r diffeithwch i'w lle ei hun, lle yr ydys yn ei maethu hi yno dros amser, ac amseroedd, a hanner amser, oddi wrth wyneb y sarff.' Testun y Goron yn Eisteddfod Genedlaethol Treorci oedd 'Penyd'. Ac mi gefais weledigaeth. Yn lle'r ymweliadau wythnosol â Dinbych, mi gawn fynd i mewn i fywyd Mam yno a'i fynegi a'i ddehongli. Cymerais dair wythnos o'm gwyliau a'm carcharu fy hun yn y llety. Y canlyniad fu'r bryddest 'Penyd' a Choron Treorci.

Beirniaid Cystadleuaeth y Goron yn Nhreorci oedd Gwili, Wil Ifan, a Rhuddwawr.

Yn ei *Atgofion Dyn Papur Newydd* (Lerpwl, 1962), cawn stori ddadlennol a difyr gan Picton Davies (a fuasai'n cydweithio â Charadog ar y *Western Mail*) am y ffordd y gorffennwyd pryddest Treorci a sut y cyrhaeddodd ben ei thaith:

Yr oedd un o'm cydweithwyr wedi ennill coron yr Eisteddfod Genedlaethol, a thybiwn y cynigiai am y gadair y tro nesaf. Nid oedd wedi sôn wrthyf am ei fwriad, na minnau wedi holi dim. Pan ddaeth y dydd olaf i bostio'r cynhyrchion mentrais ofyn a oedd wedi anfon ei awdl. 'Awdl?' meddai'n syn, 'nid wyf am gynnig.' Yna yn ara deg, 'Ond mae gen i dipyn o bryddest . . . bron yn barod . . . rhaid ei theipio . . . ond dyna . . . rhy hwyr bellach . . . chwech o'r gloch . . . y post ola'n mynd am naw . . . a 'does gen i ddim syniad . . . dim syniad pwy gaf i'w theipio.' Cynigiais deipio'r bryddest mewn pryd i'r post. Dywedodd yntau fod arno eisiau gwneud un pennill bach eto. 'Mi ddof â'r pennill acw cyn y byddwch wedi teipio hwn.' Ac adre â mi, y bryddest yn fy mhoced.

Dechreuais deipio, a chyn gorffen dyma'r bardd yn cyrraedd. 'Methu cael fawr o hwyl arni,' meddai, 'ond mi orffennaf mewn dau funud.' Gosodwyd y bardd mewn ystafell ar ei ben ei hun. Euthum innau ymlaen â'm teipio. Daeth amser swper a'r bardd o hyd yn ei 'stafell. Mentraf agor y drws a gofyn beth am y pennill. 'Bron yn barod,' meddai. Yr oedd yno olion llafur caled – papurau ysgrifennu ar y llawr fel dail hydref. Codi hanner dwsin. Dau air ar un, llinell gyfan ar amryw, dwy linell ar un arall. Yr oedd y bardd wedi llunio ambell linell, yna ei newid, ac wedyn fwrw'r llinellau oll dan draed.

Wedi swper aeth ati drachefn. Ysgrifennodd bennill cyfan, pedair llinell. Ond bellach nid oedd pedair llinell yn ddigon. Dim ond dechrau'r epilog oedd hynny – yn awr yr oedd eisiau tri phennill arall. Yr oedd diwedd y gân ymhellach am naw o'r gloch nag yr oedd am chwech. Yr ydych yn cofio'r bryddest. Y mae iddi brolog ac epilog. Nyrs mewn gwallgofdy sy'n llefaru'r

Coron Treorci 1928

81

ddau, a gwraig orffwyll sy'n llefaru corff y gerdd, a mynegi ei meddyliau a'i dychmygion a'i hofnau. Dyna'i phenyd. Dywed rhai mai'r bryddest hon yw gwaith gorau Caradog Prichard. Cysuro'r wraig a'i chymell i gysgu a wna'r nyrs yn yr epilog. Efallai y synnir bod y bardd a ysgrifennodd y rhannau canol godidog wedi cael cymaint o anhawster i lunio epilog syml.

Ond collwyd y post olaf i Dreorci. Yr oedd yn ddau o'r gloch y bore cyn gorffen yr epilog a'r teipio. Wedi cysgu tipyn aeth Caradog â'r bryddest i Dreorci gyda'r trên, a'i gadael, yn ddistaw bach, yn swyddfa'r Ysgrifennydd heb i neb ei weld . . . Do, bu bron iddo fod allan o'r gystadleuaeth yn Nhreorci drwy ohirio manion pwysig hyd y funud olaf.

Caradog Prichard yn Eisteddfod Genedlaethol Treorci, 1928

Nododd y Prifardd Alan Llwyd: 'Yn y cerddi hyn mae Caradog Prichard yn trafod gwallgofrwydd, pwnc a oedd yn agos iawn at ei galon gan iddo weld ei fam ei hun yn dioddef ac yn gorfod mynd i Ysbyty'r Meddwl yn Ninbych. Mae'n adrodd yr hanes yn ddirdynnol yn ei nofel, *Un Nos Ola Leuad*. Un arall o'r beirdd ifanc newydd oedd Caradog Prichard, aelod o'r genhedlaeth o feirdd a gredai fod popeth yn ddeunydd barddoniaeth. Roedd seicdreiddiaeth a seicoleg yn bynciau gweddol newydd yn y dauddegau, a phobl yn dechrau dod i ddeall syniadau Freud, a phroblemau fel gwallgofrwydd. Dan arweiniad Freud, daeth y meddwl, a chymhlethdod y meddwl dynol, i mewn i farddoniaeth Gymraeg. Awn i mewn i feddwl y llanc ifanc synhwyrus yn 'Atgof' Prosser Rhys, a chawn gip ar ei ffantasïau rhywiol, ac felly hefyd gyda Sant Gwenallt. Yn 'Penyd' cawn fynd i mewn i ymennydd gwraig wallgof . . .'

Yn *Coronau a Chadeiriau* (anerchiad a draddododd o flaen Cymdeithas Anrhydeddus y Cymmrodorion yn ystod yr Eisteddfod Genedlaethol ym Mangor yn 1971 ac a adargraffwyd gan Wasg Gee o'r *Trafodion*, Sesiwn 1970, Rhan II), noda Caradog fod Stanley Baldwin, Prif Weinidog y dydd, wedi galw yn yr Eisteddfod yn Nhreorci 'ac roedd pryder y plismyn yn fawr, gan fod y glowyr am ei waed o. Gofynnodd un o'r gwŷr tynnu lluniau am ddarlun o Baldwin a minnau hefo'n gilydd. A dyma ni'n sefyll ochr yn ochr ar riniog un o ddrysau'r Pafiliwn. A phan oedd y tynnwr lluniau ar fin pwyso botwm ei gamera, dyma Baldwin yn lledu ei ysgwyddau ac yn ymchwyddo fel broga, ac yn rhoi'r bibell ddiarhebol rhwng ei ddannedd. Ac yn y llun, mae Baldwin yn sefyll yn sgwâr yn ffrâm y drws a minnau'n sefyll yng ngwysg fy ochr wedi fy ngwasgu yn erbyn postyn y drws.'

Caradog Prichard a'r Prif Weinidog Stanley Baldwin

Rhywbeth yn debyg i'r patrwm a fabwysiadodd ar gyfer Eisteddfod Treorci a ddigwyddodd yn achos Eisteddfod Lerpwl:

Cymryd tair wythnos a chloi'r byd allan o'm stafell yn y llety. 'Y Gân ni Chanwyd' oedd y testun y tro yma, ond yr un oedd y pry dan y croen – yr ymdeimlad o euogrwydd ac o ddiawledigrwydd oherwydd y fam a yrrwyd i'r Seilam. 'Gwyn eu byd y rhai pur o galon canys hwy a welant weledigaethau,' meddwn mewn llythyr at gyfaill gyda chopi o bryddest 'Y Briodas'. Ni allwn hyd yn oed ar ôl sgrifennu'r gerdd 'Penyd', ymguddio rhag wyneb y sarff. Ond y drydedd waith, yn lle sôn am greadures o gnawd a gwaed, mynnwn ddwyfoli'r Fam a'i throi'n Fatriarch . . . Rhag ofn y bydd rhywun yn troi at y gerdd hon rywbryd eto, hoffwn roddi ar gof a chadw air am yr hyn a dybiwn i oedd yn saernïaeth berthnasol i gerdd ar destun fel 'Y Gân ni Chanwyd'. Wedi canu corff y gân ar un mesur mydr ac odl, newidiais y cywair a rhoddi cynffon iddi. Trwy hyn, ceisiwn roddi'r argraff o lais yn distewi neu o oleuni'n diffodd. Ac yn wir fe droes yn seren wib, neu'n 'seren gynffon' fel y byddem ni blant yn ei ddweud, a fflachio'i llifolau gwibiedig a darfodedig ar ei hawdur fel Bardd y Tair Coron. Ond yn ôl y derbyniad a gafodd gan rai ni lewyrchodd y goleuni o gwbl, heb sôn am ddiffodd.

Coron Lerpwl 1929

Drwy iddo ennill y Goron yn Eisteddfod Genedlaethol Lerpwl yn 1929, gosododd record na ellir fyth ei chyfartal na'i churo. Yn sgîl ei fuddugoliaeth, cafodd wahoddiad 'gyda Chynan a Phrosser ac un neu ddau arall, i dreulio wythnos ym Mrynawelon, cartref Lloyd George yng Nghricieth.'

Cydnabuwyd ar goedd ei gamp o fod wedi ennill y Goron deirgwaith, a hynny dair blynedd yn olynol, pan drefnwyd croeso dinesig iddo gan yr Henadur W. R. Williams, Arglwydd Faer Caerdydd ('gyda chymorth parod y *Western Mail'*, ys dywedodd Caradog yn *Coronau a Chadeiriau*).

Y Bardd Coronog yn 1929

Y Croeso Dinesig – a Maer Caerdydd yn barod i gyflwyno iddo ei lun mewn ffrâm, rhoddedig gan y Western Mail. *Gwelir Mattie y tu ôl i Garadog, fwy neu lai*

Tra bu yng Nghaerdydd, cafodd 'sylweddoli un breuddwyd hoff', sef cael dilyn cwrs gradd Prifysgol. 'Mi wnes hyn fel myfyriwr amser llawn yn talu fy ffordd fy hun heb grant gan neb. Ac ar yr un pryd gweithio'r nos ar y *Western Mail*. Parhaodd hyn am dair blynedd a chefais fy rhyddhau'n ddigyflog o'r *Western Mail* am y tri mis olaf o'r cwrs.'

Coleg y Brifysgol, Caerdydd

Enillodd radd B.A. yn 1933 yn y Celfyddydau, Athroniaeth, Saesneg, Cymraeg a Hanes ond sylweddolai nad oedd ganddo'r 'ddawn i fod yn ddarlithydd na'r dyfalbarhad i ddatblygu'n ysgolhaig' a doedd dim amdani felly ond dychwelyd 'i ddiflastod gwaith ar y *Western Mail* a chwilio am ryw ddihangfa arall.' Pan ddychwelodd at y *Western Mail*, gwnaed ef yn is-olygydd a gohebydd arbennig ar faterion Cymreig.

Caradog Prichard yn 1931

Erbyn hyn, roedd ei berthynas ef â'r ferch y rhoes ei lygaid arni yn y Cyfarfod Gwobrwyo yn y Cardiff High School for Girls wedi datblygu a blodeuo'n garwriaeth go ddifrif.

Roedd Mattie (Mattie Adele Gwynne Evans, a rhoi iddi ei henw llawn) a aned ar Ebrill 6, 1908, yn ferch i John William a Mary Ann Evans. Roedd ei thad (a elwid yn Jack neu JW) yn un o chwe brawd a fagwyd ar fferm fechan ger Pencader. Treuliodd gyfnod o brentisiaeth i fod yn deiliwr yn Llundain ac yno, tua 1902, y cyfarfu â Mary Ann a ddaeth yn wraig iddo yn y man. Wedi dychwelyd i Gymru, aeth JW i gadw busnes teiliwr gyda'i frawd yn y Gilfach Goch, lle ganwyd Mattie ar Ebrill 6, 1908. Gwaetha'r modd, cafodd JW anaf drwg iawn i'w law dde yn ystod y Rhyfel Byd Cyntaf ond mynnai Mary Ann (a fuasai'n nyrs yn Ysbyty St Thomas yn Llundain) nad oedd angen iddo gael trychu'i law a rhoes iddo ofal nyrsio gyda'r gorau. (Ac mae'n deg cofio i Garadog a Mattie ei chymryd atynt i fyw tua 1960 a gofalu'n dyner amdani hi yn ystod deng mlynedd olaf ei hoes.). Ailhyfforddodd JW i fod yn glarc ac ymunodd â'r Weinyddiaeth Iechyd, gan ddringo i uwch-swydd fel gwas sifil. Pan ddaeth ei waith gyda'r Weinyddiaeth Iechyd i ben, ailafaelodd yn ei hen grefft ac er mor chwithig y triniai'r nodwydd wnïo yn ei law friw, llwyddai i wneud dilladau gwych i Mattie pan oedd hi'n ferch ifanc. Wrth gofio am un disgrifiad diddorol a ddarllenais amdano, sef: 'he was always larger than life, swanky and well-dressed', ni allwn lai na meddwl nad llathen o'r un brethyn yn union oedd Mattie. Roedd JW a'i deulu eisoes wedi symud i fyw i'r brifddinas cyn i Garadog ddechrau gweithio ar y *Western Mail* a chan fod JW yn un a gasglai gerddorion ac ysgrifenwyr ifainc Cymreig o'i gwmpas, mae'n debyg bod Caradog wedi bod wrth ei fodd yn ei gwmni pan ddaeth Mattie ac yntau'n gariadon.

Dyma'r englyn coffa a ysgrifennodd Caradog am ei dad-yng-nghyfraith:

> Un annwyl iawn a hunodd, – a'i air byw
> Daear bedd a dawodd;
> Aeth o fyd oedd wrth ei fodd
> I dŷ henfyd o'i anfodd.

Enid a Tom Parry, Mattie a Charadog

87

Fel y nodwyd uchod, roedd Caradog a Tom Parry yn gyfeillion pur agos yn ystod cyfnod Caradog yn y brifddinas a daeth y ddwy wraig, Enid a Mattie, i adnabod ei gilydd yn dda yn sgîl cyfeillgarwch eu gwŷr. Tom Parry oedd gwas priodas Caradog a Mattie.

Ar Fehefin 7, 1933, pan oedd Caradog yn 28 oed a Mattie yn 25, fe briodwyd y ddau yng Nghapel Minny Street, Caerdydd. Adeg y briodas, cyfeiriad Mattie oedd 23 Brithdir Street, Caerdydd, ac roedd Caradog yn lletya yn 56 Tewkesbury Street.

Priodas Caradog a Mattie.
Mae'r gwas priodas, Tom Parry, yn sefyll y tu ôl i'r priodfab.
I'r dde a'r tu ôl i Mattie, fe saif ei thad ac o'i flaen mae mam Mattie (yn eistedd yn y gadair).
Perthnasau i Mattie yw gweddill y bobl yn y llun

PENNOD 14

Y Cyfnod Cyntaf yn Llundain

Yn fuan ar ôl priodi, a Charadog yn anniddig iawn yn ei swydd efo'r *Western Mail*, gwnaeth gais yn 1934, er syndod a dychryn i Mattie, am swydd '*Super Sub-Editor*' ar y *News-Chronicle* yn Llundain. Fe'i penodwyd i'r swydd a rhoddwyd iddo gyfrifoldeb arbennig am dudalen Gymreig y papur. Adroddwyd fel a ganlyn am ei benodiad yn y *South Wales Daily News*: 'He will write exclusively for the *News-Chronicle* in Welsh and English, on Wales and Welsh affairs, and will be in sub-editorial charge of the Welsh Page . . . He now joins the brilliant band of Welshmen, headed by Gwili, the Archdruid, who give Welsh readers of the *News-Chronicle* reliable, informative and independent views and news of Wales and Welsh national movements.'

Ymgartrefodd Caradog a Mattie yn 46 Woodlands, Golders Green. Yn ddiweddarach, cafodd Caradog ei benodi'n brif is-olygydd tramor y *News-Chronicle*. Bu'n ddigon hapus wrth ei waith am gyfnod ond daeth arno 'ias o euogrwydd ac o chwithdod. Roedd rhywbeth ar goll. Roeddwn bellach nid yn unig yn alltud o Ddyffryn Conwy a Dyffryn Ogwen, ond yn alltud o Gymru. Roeddwn yn gyflawn alltud'. Teimlai, hefyd, ei fod wedi bradychu ei ddawn fel bardd drwy droi at iaith papur newydd. Ac meddai yn *Afal Drwg Adda*: '. . . cafodd yr ymdeimlad ei lawn fynegiant yn yr unig gerdd o bwys a sgrifennais yn y cyfnod yma, sef 'Terfysgoedd Daear'. Cyffes ffydd hunanleiddiad oedd y bryddest hon. Ac onid hunanleiddiad llenyddol oeddwn innau? . . . Cyrhaeddodd y niwrosis yma ei frig yn y flwyddyn 1938.' Ac yn ystod y cyfnod hwn, pan oedd y syniad o ysgrifennu cerdd am hunan-ddistryw yn ymffurfio yn ei feddwl, gwnaeth yntau 'ymgais fwriadol, dan orchymyn yr isymwybod, i ymado â'r fuchedd hon yn wirfoddol' drwy'i osod ei hun ar gledrau'r rheilffordd danddaearol yn Llundain. Cael-a-chael fu hi i'w achub mewn pryd.

Anfonodd Caradog 'Terfysgoedd Daear' i Eisteddfod Genedlaethol Dinbych 1939 dan y ffugenw *Pererin*. Y beirniaid oedd J. Lloyd Jones, Prosser Rhys (na allod weithredu oherwydd gwaeledd) a T. H. Parry-Williams. Meddai T. H. Parry-Williams: 'Y mae *Pererin* yn arbennig yn y gystadleuaeth hon, ar fwy nag un cyfrif. Ganddo ef y mae'r afael sicraf ar ei grefft. Hwn hefyd . . . a lwyddodd orau i ddwyn i'w gynnyrch barddonol y gyfaredd honno sy'n stamp diamheuol ar greadigaeth lenyddol wir. Y mae cyffyrddiad meistrolgar ganddo a rheolaeth lwyr ar ei arddull o ran ieithwedd a mydr,' ac meddai J. Lloyd Jones: 'Heb unrhyw amheuaeth, dyma fardd mawr y gystadleuaeth, a rhagora'i bryddest gymaint mewn angerdd barddonol, ffansi gyfoethog a mynegiant addurnol ar gynhyrchion ei gydymgeiswyr, nes gwneuthur y rhai gorau ohonynt hwy bron yn dila wrthi hi. Y mae *Pererin* yn fardd gwych, a'i gerdd yn gampwaith artistig. . .' Ond siomwyd Caradog – ataliwyd y wobr: 'Roedd y derbyniad, neu'n hytrach y gwrthodiad, a gafodd y gerdd yn Eisteddfod Dinbych . . . yn ffitio'r patrwm. Gwrthodwyd y Goron iddi, er mai hi oedd y gerdd orau, am nad oedd ar y testun . . .'

Caradog a Mattie yn Eisteddfod Genedlaethol Dinbych

Cyhoeddwyd *Terfysgoedd Daear: Y Bryddest Ddi-Goron yn Eisteddfod Dinbych 1939* yn llyfryn chwe cheiniog ac fe'i gwerthwyd ar y maes. Morris T. Williams oedd y tu ôl i hyn, meddai Caradog yn *Afal Drwg Adda*: 'Roedd Morris, gyda'i wybodaeth gyfrinachol am y dyfarniad, yn rhinwedd ei swydd fel ysgrifennydd yr Eisteddfod, wedi paratoi'r llyfryn yn ei wasg ei hun . . .' ac mae Morris T. Williams yn rhan o'r esboniad pam y rhoes Caradog gynnig am y Goron yn Ninbych ac yntau eisoes wedi ennill tair Coron yn barod am bryddestau. Meddai yn *Afal Drwg Adda*: 'Credaf mai un ateb syml yw mai Morris Williams ydoedd ysgrifennydd yr Eisteddfod a bod Prosser Rhys yn un o feirniaid y Goron. Ac ni bu ynof gymhelliad cryfach wrth ysgrifennu'r un gerdd, nac unrhyw ddarn arall o lenyddiaeth o ran hynny, nag ennill cymeradwyaeth y rhai anwylaf ymhlith fy nghydnabod.' Ychwanega: 'Ateb arall yw bod y cysylltiad ag Ysbyty'r Meddwl – y Seilam – yn Ninbych yn dal yn ddolur parhaus . . .'

O safbwynt ei ymdrechion i gael swydd yn ôl yng Nghymru, dywed Caradog mai aflwyddiannus fu pob cais – 'methu ei chael neu ei gwrthod bob tro.' A hyd yn oed yn 1952, roedd ei awydd i ddychwelyd i weithio i Gymru yn parhau ac fe wnaeth gais i fod yn 'Editor-Manager' o'r *North Wales Chronicle* ond 'ddaeth dim o'r cais hwnnw 'chwaith. A chyda dechrau'r Ail Ryfel Byd, a'r ymosodiadau cyson ar Lundain, bu'n rhaid newid trefn waith y *News-Chronicle*. Golygai hynny, yn ei dro, y gallai Caradog a Mattie ffoi i Ddyffryn Ogwen 'am loches a thawelwch y wlad' am ryw bedwar diwrnod o bob wythnos. Ac yn Rhif 5 Fron-bant y bu hynny – bwthyn bychan a safai gyferbyn â Chapel Treflys (A) yn y Gerlan, wedi'i guddio bron â choed a llwyni, â gardd hir yn ymestyn ar lethr o'i flaen tuag at y ffordd islaw.

5 Fron-bant, Gerlan, Bethesda

Yn *Y Ford Gron*, Medi 1935 (Cyf. 5, Rhif 11), yn ei erthygl 'Gymru, na'm Gollyngi Fyth!', disgrifia Caradog ei daith yn y car o Lundain i Ddyffryn Ogwen: 'Trwyn y car wedi ei droi tua Chymru ac "yn ffrwyno'r helfa o bell". Ei gefn wedi'i droi'n ddirmygus ar boblogaeth amrywiol un o faesdrefi cyrrau Llundain. Iddewon breision, blonegog; Sgotiaid slei, surbwch; Saeson gwag, gorgwrtais. Beth falia'r diawliaid hyn am Steddfod ac awdl a phryddest? meddwn wrth fonet y car . . .'

Gwaetha'r modd, roedd y teithio'n draul 'ar gorff a phwrs' a pheidiodd ymwel-iadau Caradog a Mattie â Bethesda, er bod mam Mattie wedi bod yn aros yn y bwthyn yn bur aml yn ystod blynyddoedd y rhyfel. Cofia Jean Hughes, a oedd yn blentyn ifanc iawn ar y pryd yn byw y drws nesaf yn Rhif 6, fel y byddai ei mam yn pwyso arni i fynd i gadw cwmni i Mrs Evans yn ystod y gyda'r nosau. Fodd bynnag, cadwodd Caradog a Mattie eu diddordeb yn y bwthyn ac roedd ganddynt gynlluniau penodol ar ei gyfer cyn diwedd y rhyfel.

Cyfnod y Rhyfel

*Caradog (ail o'r dde yn y rhes gefn) gyda'i gyd-filwyr. Byddai'n ddiddorol gwybod beth oedd
swyddogaeth y sawl sy'n eistedd yr ail o'r chwith yn y rhes flaen*

Ym mis Medi 1942, cawn hyd i Garadog yn Sir Amwythig, a chanddo rif, teitl a
chyfeiriad newydd sbon: 14283765 Private Prichard, C., A Coy 4th Platoon, 25th
Batt. P.T.C., G.S.C., 'L' Camp, Trench, Nr Donnington, Salop. Dywed Caradog:
'. . . ymuno â'r Fyddin fu raid, ac ymarfogi, ac ymbaratoi i fod yn lleiddiad
gorfod . . .' Gradd A4 a ddyfarnwyd iddo ar ei dderbyn i'r Fyddin, ar sail ei olwg
diffygiol, ond dywed yn *Afal Drwg Adda* iddo gael, yn ystod tymor yr ymarfer,
'wyliau fu ymhlith y rhai dedwyddaf a mwyaf llesol i gorff ac ymennydd a gefais
erioed.'

Mae hefyd yn adrodd am rai o brofiadau'r cyfnod hwn yn y dyddlyfr milwr,
'Rwyf Innau'n Filwr Bychan, a gyhoeddodd dan y ffugenw 'Pte.P.' yng nghyfres
Llyfrau Pawb, Dinbych, yn Awst, 1943.

Ond, yn ffodus iawn, fe gadwodd Mattie gasgliad o'r llythyrau (bellach yn y

Llyfrgell Genedlaethol) a ysgrifennodd ati yn ystod y Rhyfel ac mae'n werth dyfynnu ambell beth a ysgrifennodd am y dyddiau cynnar hynny yn y Fyddin:

> Llythyr, dyddiedig Medi 28, 1942, Donnington: '. . . We had a very busy day today, learning to erect barbed wire and how to go over it & under it, &c . . . We have also had some much needed saluting lessons, saluting on the march, &c. . . . I am still enjoying every minute of it. It gets easier and more normal as we go along and get the run of things . . .'

> Llythyr, dyddiedig Hydref 15, 1942, Donnington: 'Well, my shooting was very average, I'm afraid!'

> Llythyr, dyddiedig Hydref 20, 1942, Donnington: '. . . After dinner, we had a three-mile run in shorts and vests. Then straight after that into battle order (respirator, haversack, &c.) for a route march. We marched over seven miles and at the end of it every man had to take a big sod on his shoulder and carry it for the last mile to camp. You should have heard the cursing. Then, to crown it all, I was picked one of six for fatigue duty – over an hour cleaning spuds in the cookhouse. And here I am, in the NAAFI and still alive . . .'

Yna, tua dechrau Tachwedd, 1942, cafodd ei symud i Aldershot: 'Cefais agoriad llygad pan bostiwyd fi i'r ganolfan filwrol adnabyddus honno ar ôl yr wythnosau hyfryd cyntaf yn Donnington . . . Roedd fel symud o'r ysgol elfennol i'r cownti sgŵl ers talwm . . .' Braidd yn niwlog oedd ei atgofion am Aldershot ond mae'r hyn a ddywed am y cwrs y mae arno yn ein synnu rywsut:

> Llythyr, dyddiedig Tachwedd 16, 1942, Aldershot: '. . . this course is really intensive and SO interesting. It's all about the organisation of the Army and the inner running of the war . . .'

Ond roedd yr awen yn dod heibio iddo o bryd i'w gilydd hyd yn oed yn Aldershot. Yn *Tantalus: Casgliad o Gerddi*, cawn gerdd yn dwyn y teitl 'Troi'r Cloc' ac, ar ei diwedd, y geiriau: 'Aldershot, 1942'. Dyma'r gerdd:

> Mawr siarad hogiau'r Brenin
> Sy'n llenwi'r barics moel,
> Alawon croch y Fyddin,
> Straeon yn herio coel,
> Ond uwch tafodau llithrig
> Taffy a Paddy a Jock
> Mi glywaf dipian dieflig
> Y di-ddweud-amser gloc.

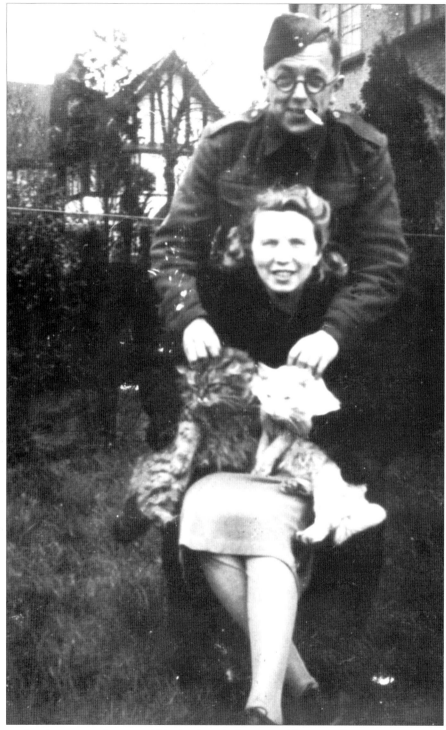

Caradog yn mwynhau cwmni Mattie a'r cathod yng ngardd eu cartref yn Golders Green

O chwith y try ei fysedd,
  A chyflym fel y gwynt,
Dros fwy nag ugain mlynedd
  I ddweud yr amser gynt,
Pan oeddwn ddewrach llencyn
  A'r siwt yn ffitio'n haws,
A dim ond Siôn a Siencyn
  Yn dreiswyr ac yn draws.

Gwyn fyd a fyddai'r awron
  Gael cipio parod ddryll
Ac arwain llanciau gwirion
  Yn ddistaw bach i'r gwyll
I saethu'r gelyn cyfrwys
  A lechai yng nghoed y Nant
Cyn troi i hun a gorffwys
  O ludded chwarae plant.

Bu'r awydd i 'droi'r cloc yn ôl' yn ddyhead gan Garadog drwy gydol ei oes a rhydd bwyslais arbennig ar hynny pan fo'n sôn am ei freuddwyd i ddychwelyd i'w wlad a'i fro ei hun flynyddoedd yn ddiweddarach.

Yr adeg yma, clarc oedd Caradog gyda'r R.A.S.C. (*Royal Army Service Corps*) ond gwnaeth gais i fynd ar gwrs tri mis mewn llaw-fer a theipio yn Llundain. Caniatawyd ei gais a lleolwyd ef yn Mecklenburgh Square, 'bron y drws nesaf i Glwb Cymry Llundain yn Grays Inn Road . . . Roeddwn yn ôl o'r cownti sgŵl yn yr ysgol elfennol.' Drwy roi cil-dwrn bychan i'r rhingyll oedd yn gyfrifol am ei uned, cafodd ganiatâd i fyw gartref.

Roedd Mattie hefyd 'yn gwasanaethu ei Gwlad a'i Brenin', ys d'wedodd Caradog, 'a hynny'n llawer mwy defnyddiol a deheuig na'i phriod. Roedd ei dyletswydd-au'n gyfrinach swyddogol . . .' Cofiaf innau hi'n sôn fel y byddai'n gwrando ar aelodau o'r lluoedd arfog yn sgwrsio â'i gilydd mewn tafarnau yn Llundain ac fel y byddai gofyn iddi glustfeinio ar alwadau ffôn – rhag ofn bod unrhyw beth yn cael ei ddweud na ddylid ei ddweud neu rhag ofn bod unrhyw gyfrinachau'n cael eu datgelu a allai beryglu buddiannau Gwledydd Prydain. Torrodd i mewn ar sgwrs ffôn Winston Churchill un tro a'i rybuddio rhag parhau â natur y sgwrs a oedd ar droed ganddo – cafodd Mattie wybod yn union beth a feddyliai Churchill o'i hymyrraeth!

Cyfnod yr India

Pan ddaeth y cwrs i ben, cafodd Caradog ei anfon i Byfleet, Surrey, a chlywyd sibrydion fod cynlluniau ar y gweill i anfon ei gatrawd dros y môr. Ac meddai Caradog yn *Afal Drwg Adda*:

> Mae'n rhaid mai tua'r adeg yma yr aeth y Petisiwn i'r Swyddfa Ryfel. Ni allaf warantu'r stori ond bu Mati'n tyngu lawer gwaith ei bod yn wir. Neges y Petisiwn oedd dweud bod Cymru wedi colli un o'i phrif feirdd, Hedd Wyn, yn y Rhyfel Byd Cyntaf, ac yn erfyn ar y Swyddfa Ryfel i beidio â'm hanfon i, un arall o'i phrif feirdd, dros y môr yn y Rhyfel hwn '*unless it is absolutely necessary*'. Gwir neu gelwydd, cawsom lawer o hwyl ar y stori.

Wel, gallaf ddatgelu bod y stori hon yn berffaith wir – fe'i clywais gyntaf gan ewythr i mi, John Arthur Jones, a oedd yn gyfeillgar iawn â'r sawl a drefnodd y ddeiseb yn Nyffryn Ogwen, sef William Rowlands, a oedd wedi ei fagu yn y Gerlan ac yn ffrindiau mawr efo Caradog Prichard.

Arferai William fyw o fewn tafliad carreg i Stryd Glanrafon a'r Stryd Hir ac roedd ei gartref yn union y tu ôl i 5 Fron-bant, y bwthyn y byddai Caradog a Mattie yn arfer aros ynddo yn ysbeidiol yn ystod blynyddoedd cyntaf y Rhyfel. Yn wir, mae Wili Rowlands yn cael ei grybwyll mewn llythyrau a anfonodd Caradog at Mattie o'r India, pan fo Caradog yn pwyso arni i fynd ymlaen ar unwaith i brynu'r bwthyn (a dyna a wnaed ond gwerthodd Caradog ef am ryw ddau ganpunt ymhen ychydig flynyddoedd – er mawr siom i Mattie).

> Llythyr, dyddiedig Awst 2, 1944: Secure the cottage in Bethesda for £100 (or less, but no more) and leave Owen Williams the Shop in charge, with Willie Rowlands having the freedom of the garden. (You might be able to get Owen Wms to persuade Mrs Wms to sell).

> Llythyr, dyddiedig Medi 4, 1944: The Cottage. I don't know whether you have done anything about buying it. If you have, the thing to do would be to let Margaret have charge of it and its use on condition that she furnished it properly! The garden could be left to Will Rowlands.

Chwarelwr cyffredin oedd William Rowlands wrth ei alwedigaeth (ac a drodd ei law at adeiladu yn ddiweddarach) ond roedd ganddo ddiddordeb anghyffredin

William Rowlands

mewn gwleidyddiaeth (ymhlith amrywiol feysydd eraill, o ran hynny), ac ymhyfrydai yn y ffaith ei fod wedi ei fagu yn yr un ardal â Goronwy Roberts a'i fod yn un o'i gyfeillion bore oes. Teimlodd i'r byw pan glywodd fod Caradog i gael ei anfon dramor ac aeth o gwmpas Dyffryn Ogwen i gael pobl i lofnodi ei ddeiseb ac iddi deitl clir ei neges: *Save Our Poet*. Gwaetha'r modd, ni lwyddwyd i ddod o hyd i unrhyw gofnod am y ddeiseb er yr ymchwilio dyfal a thrylwyr a wnaed ymhlith cofnodion y Weinyddiaeth Amddiffyn yn Llundain.

Ond mae tro bach yng nghynffon y stori am y ddeiseb. Er gwaethaf yr hyn a ddywed Caradog Prichard yn *Afal Drwg Adda*, na wyddai ddim am y ddeiseb, mae'n amlwg ei fod *wedi* cael achlust am yr hyn oedd ar y gweill ym Methesda ac mae'n ymddangos ei fod hyd yn oed yn *gwybod* mai Wili Rowlands oedd y tu ôl i'r cyfan. Mewn llythyr, dyddiedig Chwefror 7, 1945, a ysgrifennodd at Mattie o Delhi Newydd, dyma a ddywed:

> I was rather staggered . . . concerning a rumour about my recall. . . . You can ignore what any other malicious chatterboxes may tell you. Anyhow, I don't think they will want General Prichard until, as Willie Rowlands might say, 'it is absolutely necessary', that is, until they have their backs to the wall, which they don't seem likely to have . . .

Nid oes gronyn o dystiolaeth i'r ddeiseb gael unrhyw effaith ar y penderfyniad i beidio ag anfon Caradog dramor ond felly y bu. Ym mis Mai, 1944, daw tro ar fyd yn hanes Caradog. Cynigiwyd iddo ddau ddewis: ymuno â'r Army Educational Corps yn Wakefield neu gael ei ryddhau o'r Fyddin i weithio i'r Swyddfa Dramor. Yr ail ddewis a gymerodd Caradog a chael ei anfon gan ei gyflogwr newydd, y *Ministry of Information*, i Delhi Newydd yn yr India ddechrau Mehefin, 1944. Mae'n glanio yn Karachi ac yn aros noson yno a chael bod Vera Lynn, y 'Forces Sweetheart' yn aros yn yr un gwesty ag ef. Ysgrifennodd at Mattie i ddweud yr hanes wrthi: 'I grabbed her next morning, got an interview, and cabled it (at my own expense) to the *News-Chronicle*. I wonder whether they used it . . .' Ychwanega at hyn yn *Afal Drwg Adda*: 'Nid ymddangosodd yr un gair. O, meddwn i wrthyf fy hun, mae'n amlwg nad yw Jim wedi bwrw o'i gof y ffrae wermod a gawsom . . .'

Mewn llythyr (dyddiedig Mehefin 25, 1944) at Mattie, mae Caradog yn ysgrifennu o'r Far East News Room, All India Radio, Parliament St., New Delhi, ac meddai:

> Tomorrow, I start working to a proper schedule. We do three general news bulletins, the first at 7.30 am, the second at about 2 pm, and the third at about 10.30 pm. In between these there are two English bulletins, one at 6 pm and the other at 8 pm. All the general ones are translated for the Asiaties & broadcast to the various occupied and enemy territories and the English ones are – well, for whomsoever they get to – around this part of the world. Spey and I between us prepare these bulletins. We dictate them to Indian typists and then get them sent out to various units, and to our own announcers. One of these announcers is head of the news section at present – a chap called Robertson, whom I find very easy to get on with, I'm afraid I had a bit of a row with Spey. He started playing boss and I had to nip it in the bud. I told Robertson that I had not come out to be anybody's stooge – and he sorted things out satisfactorily. And all's well & there's no ill-feeling. So you see, I am not repeating the N.C. performance [cyfeiriad at ei waith gyda'r *News-Chronicle*].

Yn ystod ei fisoedd cyntaf yn yr India, mae'n sôn llawer am y bwthyn yn Nyffryn Ogwen – 5 Fron-bant:

> I keep thinking a lot of the cottage in Bethesda. I see myself planning a little extension to it and enjoying life there – after my return. I wish we could get it at a fairly reasonable price from the old woman. We ought to get it for a hundred. Well, all these things, these pleasant memories and pleasant dreams help to while away my waking hours at night . . . I do think quite a lot of the little cottage in Bethesda and wonder whether we should buy it at the first opportunity or let it go now. But that, again, I shall have to leave to your judgement . . .

Erbyn Mai, 1945, mae'n amlwg bod Mattie wedi llwyddo i daro bargan am y bwthyn. Mewn llythyr ati, dyddiedig Mai 10, 1945, meddai Caradog: '. . . I do hope the cottage deal is through. I would be quite an anticlimax now if there was a hitch . . .'

Mae'n ymddangos ei fod yn ddigon hapus ei fyd yn Delhi Newydd ac yn mwyn-hau ei waith. Mae ganddo was bach o'r enw Abdul, ac yn *Afal Drwg Adda* (t.147), fe sonia amdano fel un 'tra ffyddlon ac annwyl ei wyneb . . . Ac mi gawn ganddo, ymhlith llawer ffafr arall, botiad o de derbyniol iawn am chwech bob bore.' Ond 'Abdul is very stupid but honest,' meddai Caradog amdano wrth Mattie mewn

Caradog ac Abdul

99

llythyr yn Nhachwedd 1944, ond fe achubodd Abdul ei fywyd un tro pan daniodd Caradog sigarét a rhoi'r llenni mosgito ar dân!

Yn dilyn y digwyddiad hwn a chyfnod yn yr ysbyty yn cael triniaeth go boenus i anaf a gawsai yn y tân, disgynnodd 'cwmwl du o iselder ysbryd' i'w lethu ac aeth rhai wythnosau heibio pan na allai hyd yn oed ysgrifennu at Mattie.

Pan oedd yn dechrau dod ato'i hun, derbyniodd lythyr oddi wrth Elliss (â'r ddwy 's' yn gywir!) Hughes, prif ohebydd y *Western Mail*, yn gofyn iddo a allai dynnu llun bedd ei fab, a laddwyd ar Dachwedd 27, 1943, yn 20 oed. Rhydd Caradog air o eglurhad i Mattie mewn llythyr, dyddiedig Medi 13, 1944: 'He was a Wing Commander & with other officers was killed in a local plane crash here. He is buried in the Cantonment cemetery about six miles out . . .' Ychydig ddydd-iau'n ddiweddarach, mae'n anfon llythyr arall at Mattie, gan ychwanegu at yr hanes: 'I cycled out to the Cantonment today – it's about 10 miles out, bought a nice wreath and got a photographer to come to photograph the grave . . .' ac ymhellach ymlaen: 'I've sent Elliss Hughes three views of the grave & cemetery & kept this for you. It isn't a very good one, as I'm looking down at the grave . . .

Caradog wrth fedd mab Elliss Hughes

100

I had a lovely wreath made for the grave – a laurel of evergreens with lillies & other white flowers and I put an inscription . . . to make it come from them.' Yn *Afal Drwg Adda*, cawn y cofnod a ganlyn: 'Sefais ar lan y bedd dan deimladau dwys â'm helmed yn fy llaw er minioced pelydr haul y prynhawn. Ac yn yr agwedd ddwys honno y tynnwyd fy llun yn syllu ar y garreg fedd.'

Mae'n anfon llun arall, hefyd, at Mattie ac ar ei gefn, ysgrifennodd Caradog: 'All Welsh boys except Ian ('Ianto') Muir, who is Irish and knows every Welsh song – words and all, though he cannot speak Welsh. The boys taught him.' Ni wyddys pa un oedd Ian yn y llun ond mae Caradog yn amlwg yn y rhes ganol. Siôn Pitar sydd yn eistedd ar y dde i Garadog wrth i ni edrych ar y llun.

Caradog gyda'r ychydig a oedd ar ôl o aelodau Côr Cymraeg Meerút

Bu aduniad llawen iawn yn hanes Caradog yn ystod y cyfnod hwn. Cofir mai un o'i gyd-letywyr yn 7 Margaret Street, Caernarfon, ddechrau'r 1920au, oedd Siôn Pitar, y 'prentis o gemist o'r Waenfawr'. A'r Siôn Pitar hwn (John, neu Jack, Peter Williams, a rhoi iddo'i enw llawn), a Selwyn Samuel (o Lanelli), oedd y ddau gyfaill fu'n 'helpu' Caradog i ddathlu, braidd yn gynamserol, ei fuddugol-iaeth yn ennill Cadair Eisteddfod Genedlaethol Llanelli yn 1962, fel y cawn grybwyll eto. Ond pan oedd Caradog yn yr India, clywodd fod Siôn Pitar yno hefyd yn rhywle ac aeth ati i geisio dod o hyd iddo. Yn rhyfedd iawn, roedd y Siôn Pitar hwn yn nai i'r Miss Williams a gadwai'r siop ar gornel y Stryd Hir yn y Gerlan, a hi oedd piau'r bwthyn – 5 Fron-bant – yr oedd Caradog yn awyddus i Mattie ei brynu ym Methesda. Mewn llythyr, dyddiedig Ionawr 21, 1945, mae Caradog yn rhoi'r newyddion i Mattie: '. . . should you go to Bethesda or write to

Miss Williams Shop, will you tell her that I've traced John Peter of Waunfawr. He is secretary of the Welsh Society at Meerút, not far from here, and wrote to the sec. of our society mentioning me. I'm going over to dig him out in the near future . . .'

Fel mae'n digwydd, roedd Siôn Pitar yntau wedi clywed bod Caradog yn Delhi Newydd ac yn ysgrifennu at ei wraig tua'r un pryd i ddweud ei fod wedi bod yn holi amdano ac yn gobeithio gallu trefnu i'w weld yn y dyfodol agos.

Ddiwedd Mawrth, mae Caradog yn mentro 'y deugain milltir rhyngom i Meerút mewn bws' ac yn dweud sut y cyfarfu'r ddau, mewn capel ym Meerút, heb fod wedi gweld ei gilydd ers ugain mlynedd: 'We were both quite shaken at the sight of each other!', meddai, cyn dweud eu bod wedi mwynhau cwmni ei gilydd tan oriau mân y bore. Dyma sut yr adroddodd Siôn Pitar yr hanes mewn llythyr at ei wraig ddydd Llun y Pasg, 1945:

> After lunch, I went to bed & slept a little. Then a wash, shower, etc. after tea, & to chapel. Coming out, someone caught me by the arm & said: 'Sut wyt ti, Siôn?' It was Caradog Prichard who had been searching for me since noon. He was staying in a hotel nearby.

Maent yn mynd yn ôl i westy Caradog ac yn gofyn am debotiad o de bob un:

> Well this tea was good, even good without sugar, which is a credit indeed. I had 4 pots of tea, Caradog 6 & over them we talked 23 years at least in the hotel restaurant. We had decided to have a dinner to celebrate, but when we got back to earth, it was 10.10 pm & all food was unobtainable. We, however, managed to get a pack of meat sandwiches . . . At 1am he was walking back with me, then I took him back & so we continued until some hour of the morning . . .

Tua diwedd Hydref yr un flwyddyn, cawn hanes cyfarfod arall gan Garadog (a nodyn bach personol hyfryd yn ei gloi):

> I had a bit of Shir Gaernarfon for company this week-end too. Pte Jack Williams came to spend the week with me at the hostel from Meerút. It was a pure joy to see how he enjoyed the change from a BAR's life. You should have seen him at breakfast on Sunday morning. 'Diawl, fachgen,' he said after a huge breakfast of sausage and mash and fried eggs, 'Mi rydw i'n teimlo'n ffrindiau efo mi fy hun rŵan. Dyma'r brecwast gorau rydw i wedi'i gael ers pan ydw i yn India.' I gave him a good time and he enjoyed it very much. And he was good company for me too. I've arranged to go over to see him in Meerút on Saturday. They are producing a play called Starlight at the garrison theatre there and he's booking a seat for me there. It will be a nice way of getting over another birthday without you, my Sweet . . .

Caradog Prichard a Siôn Pitar ym Meerút, Tachwedd 4, 1945

Mae Siôn Pitar yn dweud hanes cyfarfod Caradog dros benwythnos arall a hynny yn Delhi Newydd tua chanol Tachwedd:

> I stayed with Caradog & on Sunday I did his packing for him, a huge steel tin, ready for despatch to Singapore. He goes there on the 20th. [Mwy am hyn isod] Sat. evening he took me to the studio and there I listened to him giving a Welsh quarter-hour to troops in the Far East. It was good too. Caradog has written a soned [*sic*] to our meeting – hope you like it – he intends to get it published in the *Cymro*.

Ac, yn wir, *fe* gyhoeddwyd y soned honno yn *Y Cymro* (ac, wedi hynny, yn *Tantalus: Casgliad o Gerddi*) yn disgrifio ymchwil Caradog Prichard am Siôn Pitar a hanes y cyfarfod cyntaf hwnnw yn y capel ym Meerút:

Y MILWR

Euthum i chwilio amdano ym mro Meerút,
   Y sowldiwr ar ddisberod pell o'i dref,
Sionyn, nas gwelswn er pan gerddai'n grwt
   Strydoedd Caernarfon a pherllannau'r Nef;
Chwilio diffeithwch barics ar bnawn Sul,
   Ond nid oedd yn y bwnc nac yn y bar;

103

Crwydro drachefn yn ofer strydoedd cul
  Trwy brysur, heinus ddrewdod y basar.
A dyfod gyda'r hwyr at gapel gwyn
  A'm denu i mewn gan sain yr emyn trist;
Yno fe aeth fy marwor llwyd ynghynn
  O'i ganfod ar ei liniau'n ceisio'i Grist,
Ar ei ddau lin, a'i lygaid tua'r llawr
Yn gwledda ar ogoniant y Waen Fawr.

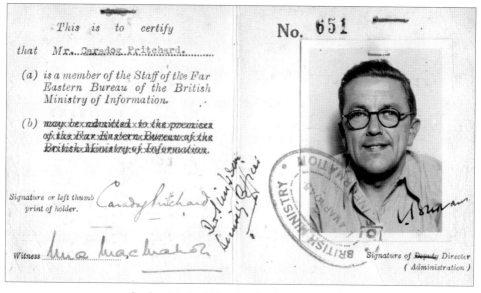

Cardyn Adnabod Caradog Prichard yn yr India

Adduned Blwyddyn Newydd Caradog Prichard ar gyfer 1945 oedd rhoi'r gorau i yfed ac i ysmygu ac meddai mewn llythyr, dyddiedig Ionawr 21, 1945, at Mattie: '. . . Well, here's the 21st day of my non-smoking, non-drinking existence, and I feel right on top of it now . . .' Ac meddai eto ddechrau Mawrth 1945: 'I'm still non-smoking and TT and going strong . . .', a soniodd am ddathlu Gŵyl Ddewi: 'Well, there was an abundance of fine liquor of all kind floating around and it made the heart glad to see the boys make merry. But your loving husband toasted St David in water "all through the night" and I did not even have a cigar in his honour. I must admit I felt better for it next morning . . .' Pan fo'n ysgrifennu ati ar Awst 2, fodd bynnag, mae'i gân wedi newid mymryn: 'it may comfort you to know that I am 100% non-alcoholic now, and hope to remain so for a very long while! But cigs are so cheap here that I'm still smoking like a chimney! . . .', ac fe wyddom na pharhaodd y llwyrymwrthod yn hir iawn yn y naill achos na'r llall! Ac, efallai, mai'r canlyniad torri'r adduned a wnaethai ddechrau 1945 a barodd

Caradog Prichard ym mis Mawrth, 1945

iddo gael damwain fach wrth ysgrifennu at Mattie: 'Oh, yes! I spilt some ink on my nice grey suit when writing my last letter to you. As I cannot get it off, I'm having the suit dyed navy blue! It should look nice.'

Tra bu yn yr India, bu wrthi'n ceisio bwrw ymlaen gyda'r nofel Saesneg yr oedd wedi dechrau'i hysgrifennu pan oedd yn Llundain. Ar Awst 2, 1944, mae'n ysgrifennu at Mattie, yn bennaf i gwyno nad yw wedi derbyn llythyr oddi wrthi'n ddiweddar ac na allai gysgu o'r herwydd. O ganlyniad i'w ddihunedd: '. . . I started thinking about the "novel" of David. I started to get new ideas and got up. I wrote furiously for a couple of hours and got the whole thing down. The revised version was planned from start to finish. And now (please don't laugh) all I have to do is to write it. I am getting down to it in earnest next week. But keep it dark. You know what I am for planning! Still, as something has stirred, I am wondering if you could get those chapters I wrote (the typescript) out here to me . . .' Ond daw'r cyfeiriad olaf at y 'nofel' hon mewn llythyr ym mis Gorffennaf 1945: 'David is stirring again. He is not progressing very rapidly yet, but I'm confident that he will do so.' Gwaetha'r modd, pan oedd Caradog yn dychwelyd o'r India, aeth y

105

trwnc a gynhwysai sgript y 'nofel' (a'i ddillad i gyd) ar goll a phan ddaeth y trwnc i'r golwg nid oedd undim ynddo, 'Dim ond rhyw fymryn o ddail crin yn ei gorneli.' A hyd y gwyddys, dyna ddiwedd 'David'.

Trwy gydol yr amser a dreuliodd yn yr India, hiraethai Caradog yn barhaus am Mattie. Mae ei lythyrau i gyd nid yn unig yn amlygu teimladau dwfn o gariad ac anwyldeb tuag ati ond hefyd yn cynnwys amheuon a yw hi'n dal i'w garu ai peidio. Mae hyd yn oed yn datgan ei amheuaeth ynghylch ei ffyddlondeb tra bo ef yn y wlad bell ac mae'n aml yn mynegi ei eiddigedd tuag at unrhyw un arall a allai fod yn cael ei sylw. Onid yw'n cael llythyrau'n aml – yn aml iawn – ganddi, mae'r felan yn gafael ynddo, fel y mynega yn ei lythyr ati, dyddiedig Chwefror 19, 1945:

> I am very disappointed again this morning at not having a letter from you. I wonder if you are getting a bit tired of writing, or even losing interest . . . I sent you a cable the other day to see if you were receiving my letters. But there was no response. It is things like this that make me think your interest is lagging, or perhaps being transferred elsewhere. But there, that's just being nasty again.'

Ac yna, edifarhau pan glyw oddi wrthi:

> I hope you'll forgive me for having these occasional depressing moments, but I cannot help it sometimes . . . You must remember that I have only you in the world and that I want all of you!

Ond o fewn wythnos:

> . . .Well, my thoughts are really too black to carry on writing much longer until I receive something from you. Honestly, I'm worried and jealous – so much that I cannot concentrate on anything. It's just my weakness, I suppose.

Ac yna wythnos yn ddiweddarach, ymddiheuriad arall:

> Now, my sweet, I do hope you have forgiven me for all those nasty in-sinuations I have made. Be sure I have more faith in you today than even before and I think you are the best and nicest person in the world . . . Well bach, all my love, all my kisses, all my faith, and all my blessings till we meet.

Mae ail dudalen y llythyr a anfonodd at Mattie ar Awst 1, 1945, pan fo'n dal i ddyheu am iddi allu ymuno ag ef yn yr India, yn crisialu ei gariad angerddol tuag ati. Dyma sut yr ysgrifennodd:

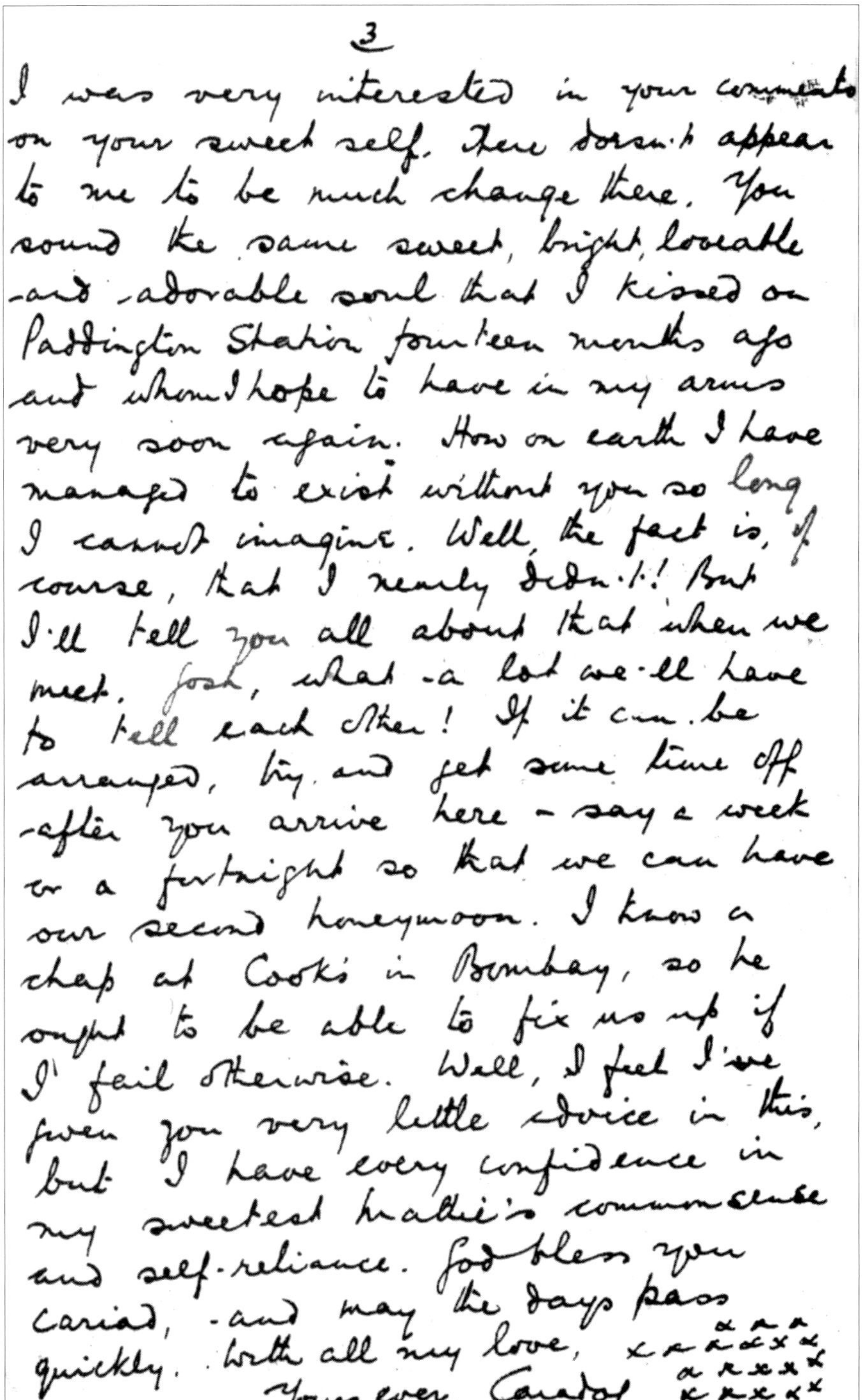

3

I was very interested in your comments on your sweet self. There doesn't appear to me to be much change there. You sound the same sweet, bright, lovable and adorable soul that I kissed on Paddington Station fourteen months ago and whom I hope to have in my arms very soon again. How on earth I have managed to exist without you so long I cannot imagine. Well, the fact is, of course, that I nearly didn't! But I'll tell you all about that when we meet. Gosh, what a lot we'll have to tell each other! If it can be arranged, try and get some time off after you arrive here – say a week or a fortnight so that we can have our second honeymoon. I know a chap at Cook's in Bombay, so he ought to be able to fix us up if I fail otherwise. Well, I feel I've given you very little advice in this, but I have every confidence in my sweetest Mattie's common sense and self-reliance. God bless you cariad, and may the days pass quickly. With all my love, xxxxxx

Yours ever, Caradog xxxxx

Rhan o lythyr a anfonodd Caradog at Mattie o'r India

Ym mis Tachwedd 1945 eto, yn dilyn hwrdd arall o'r felan ynghylch Mattie:

> Thank you for being so nice about my fits of jealousy. It just makes for misery on both sides, doesn't it? I am so very sorry, cariad. You know I have faith and all confidence in you. And we'll leave the unpleasant subject at that.

Mae'n anfon llun ohono'i hun ati ac yn ysgrifennu nodyn bach digon gwamal ar y cefn: 'Can you see my new tooth standing out? It fits better now and doesn't stand out so. And I'm always wearing it, my sweet, except when some girl tries to get off with me. Then I take it out and frighten them off.'

Caradog Prichard a'i ddant newydd

Mae'n ei cholli i'r fath raddau nes ceisio'i pherswadio i ymuno ag ef – rywsut neu'i gilydd – yn yr India (er ei fod yn ei rhybuddio: 'Don't flirt on the boat coming out!'). 'O fewn chwe mis i'n gwahanu,' meddai yn *Afal Drwg Adda*, 'roedd hi wedi bod gerbron treibiwnal yn ceisio ymuno â'r W.R.E.N.s ac wedi pasio gydag anrhydedd i gael comisiwn a'i phostio i'r India. Ond ar y funud olaf, fe'i gwrthodwyd am resymau meddygol.' Drwy gydol Awst a Medi 1945, mae mor obeithiol y caiff ddod drosodd ato nes iddo gynnig cynghorion iddi ynghylch beth i'w fwyta, beth i'w wisgo, pa bethau i'w hosgoi, etc. Ond er cymaint y cynllunio a'r gobeithion, ni ddaeth dim o'i ddyhead i gael Mattie gydag ef yn Delhi Newydd.

Cafodd ddyrchafiad i swydd newydd tua chanol 1945 a £50 y flwyddyn yn rhagor o gyflog i fynd gyda hi (er nad oedd hynny'n ddigon i glirio'i orddrafft, meddai wrth Mattie). Pan ddaeth newyddion ddiwedd Medi 1945, a'r Rhyfel wedi dod i ben yn y Dwyrain Canol, ei fod i gael ei drosglwyddo i Singapore, gwrthod y cyfle a wna Caradog a gwneud cais i ddod adref; rhydd y rheswm am hynny mewn llythyr at Mattie ddechrau Ionawr 1946: 'the desire to come home to you has now overwhelmed any other consideration . . .'

Ddiwedd Ionawr 1946, mae Nansi, gwraig Siôn Pitar, yn cael llythyr oddi wrth ei gŵr:

> I got to Delhi about 4pm on Sat. & went to Caradog. He was getting over a bout (Gormod o lawer o ddiod, Nansi) & I had a nice dinner with him & we then went for a long walk . . . I went along again on Sun. He met me at 9.40; we walked to the Radio House & back for lunch. Another day walking & talking – he looked tons better. The arrangements for Singapore have been cancelled & he is returning home, presumably in March.

Ac yna, mae Siôn Pitar yn troi i'r Gymraeg i daro nodyn digon trist:

> Efallai rhyngddot ti a fi y gall ei wraig edrych ar ei ôl, ond mae 'wedi mynd i'r cŵn'. Yr oedd yn gorfod anfon adre am fil o rupees i glirio ei hun cyn ymadael ac y mae yn derbyn tua 800 y mis . . . ar y cyfan rwyf yn ei hoffi ef pan mae 'Ef ei hun' . . .

Mae Siôn Pitar yn galw ar Garadog tua chanol Chwefror i roi help iddo bacio ac mewn llythyr at ei wraig, dyddiedig Chwefror 21, 1946, ysgrifenna'r nodyn digalon a ganlyn:

> I spent Monday in New Delhi with Caradog – just the same – he leaves India (or Delhi) on Monday. I am glad, too – perhaps his wife can keep him in hand.

Ni wyddai Caradog ba swydd a gâi wedi dychwelyd i Lundain ond roedd yn gwbl bendant ynghylch Stryd y Fflyd: 'I hate the Fleet Street lot for some reason and would like to get away from them . . . I really don't want to go back to that sordid Fleet Street life.' Mae ganddo gynlluniau a dyheadau penodol iawn mewn cyfeiriad arall:

> I want a job that will give us plenty of time together to devote to each other and to home, and to make each other happy. I want to take you to dances

and concerts and all those things I neglected so much when I had the chance
to. And I shall want to show you off as I have never done properly. And I
have ideas about cooperating with you in the manufacture of a little girl!
What do you say to that? . . . I want a completely new life with you, in
which I can give you all you want and in which we can be as happy as any
two in love can possibly be . . .

Yn yr un gwynt bron, mae'n rhaid iddo godi bwgan y geiniog:

Now, my sweet, will you find out exactly how we stand in the bank . . .
I hope you are not going to be angry with me, but I shall have to come on
the bank for another Rs500 (£40) to clear me up before coming home. Now
I don't drink and I don't keep another woman, so please don't be cross with
me for this, bach. I admit I haven't been very accountant-like and I have
had a false notion of the value of the rupee . . .

Mae holl ddiffygion a thrafferthion Caradog gydag arian yn cael eu crynhoi
mewn nodyn diddyddiad, heb unrhyw gyfeiriad arno, a gadwyd yn y Llyfrgell
Genedlaethol ymhlith y casgliad o lythyrau Caradog o'r India:

To the Collector of Taxes

Dear Sir,

For the following reasons, I am unable to meet your demand Note for
Income Tax.

I have been bombed, blasted, burnt and sandbagged, walked upon, set upon,
held up, held down, flattened out and squeezed by Income Tax, Super Tax,
Tobacco Tax, Purchase Tax, Beer Tax, Spirit Tax and Motor Tax, and every
Society, Organisation and Club that the inventive mind of man can con-
ceive, to extract what I may or may not have in my possession for the Red
Cross, Black Cross, Double Cross and every other Bloody Cross and
Hospital in Town and Country.

The Government has governed my business until I do not know who the
Hell owns it. I am suspected, inspected, examined, informed, required and
commanded so that I do not know who I am, or why I am here at all.

All I know is that I am supposed to have an inexhaustible supply of money
for every need, desire or hope of the human race, and because I will not go
out and beg, borrow or steal money to give away I am cursed, boycotted,
talked to, talked about, lied about, held up, rung up, robbed and damned
near ruined. The only reason I am clinging to life at all is to see what the
bloody hell is going to happen next.

Yours faithfully,
[Heb ei lofnodi]

Wythnos cyn gadael Delhi Newydd, mae Caradog yn cyhoeddi wrth Mattie:

> Well, my plans as I see them now are to get back to work – on the N.C. to
> start with anyway – as soon as possible, and then take you for a damn good
> holiday say in June, to France possibly or somewhere nice and sunny like
> that . . . My last Sunday in Delhi was a pleasant one. In the morning I
> cycled out to see the Johnstone family – where the little girl I fell in love
> with is – she is only five and a half years old . . . [I] left for lunch . . . deter-
> mined to have a go at producing a duplicate of her when I come home!

Bu ei fwriad i ddod â theipiadur gydag ef o'r swyddfa yn llai anrhydeddus:

> . . . Alas for the typewriter! I had "acquired" a beauty and was about to
> pack it when they made a last minute check up and pounced on me. Ah
> well, that's another thing we must acquire by the sweat of our brows . . .

Mae Caradog Prichard yn gadael Delhi ar Chwefror 28, 1946, ac yn hwylio o
Bombay ar y 'commercial steamer', yr SS *Mahanada*, ar Fawrth 2, 1946.

Yr SS Mahanada

'The Captain, Taffy Owen,' meddai Caradog, 'is from Portmadoc, and looks a
real old salt.' 'Gŵr bychan brithflew a'i drem fel fflam olew,' meddai amdano yn
Afal Drwg Adda, gan ychwanegu ei fod yn cofio iddo
ddweud wrtho 'ei fod yn Wesla ac yn frodor o Fôn ac yn
gefnder i'r Parch. Tecwyn Evans.' Pan laniodd yr SS
Mahanada yn Lerpwl, y peth cyntaf a wnaeth Caradog
oedd ffonio Mattie, gan erfyn arni (ar ôl trosglwyddo cost
y galwad) 'i ddod â phapur pumpunt a phaced o Players
i'm cwrdd yn Euston.' Pwrpas y pumpunt oedd er mwyn i
Garadog allu clirio'i ddyled i un o'i gyd-deithwyr!

Paced o 'Players'

111

Ac o Euston, mae Caradog a Mattie yn dychwelyd i'w cartref yn 81 Highfield Avenue, Golders Green, Llundain, i ailgydio yn eu bywyd priodasol.

Caradog Prichard a Mattie yn eu haelwyd yn Golders Green

PENNOD 17

Yr Ail Gyfnod yn Llundain

Er gwaethaf iddo haeru na ddychwelai fyth i Stryd y Fflyd, troi'n ôl at y *News-Chronicle* 'fel ci at ei chwydfa' a wnaeth Caradog yn 1946 a buan iawn y canfu nad oedd iddo fawr o groeso mewn swyddfa lle'r 'oedd pawb â'u breichiau de am yddfau'i gilydd, ac yn y llaw chwith gyllell i drywanu'r cefn.' Ar ôl ystyried ymuno â'r *Daily Mail*, croesodd Stryd y Fflyd ddechrau 1947 i weithio ar y *Daily Telegraph*. Mae llythyr, dyddiedig Rhagfyr 31, 1946, oddi wrth E. F. Stowell, o'r *Daily Telegraph*, yn un dadlennol iawn: 'This is to confirm my offer to you of a

Swyddfa'r Daily Telegraph

113

post as sub-editor with us at the figure you named, £1000 a year, and on the basis of a six months' rather than a three months' notice. I should be glad to have your confirmation of acceptance and to hear how soon you will be able to join us . . . I have the feeling that you will quickly settle down . . .' Ac, meddai Caradog (a oedd, yn amlwg, wedi gallu pennu'i ofynion):

> Yno cefais ynys arall, sef cornel i mi fy hun yn yr adran Seneddol. A chan nad oeddwn bellach yn arddel yr un blaid, ac yn fwy o Geidwadwr na dim arall, bu fy ffordd yn ddigon esmwyth. Bûm yn eitha bodlon i gadw fy mhen i lawr yn fy nghornel. A chael llonydd i sgrifennu a phrydyddu yn Gymraeg yn fy oriau hamdden; . . . a bod yn hollol onest . . . doedd gen i ddim ond un uchelgais, cael cornel fach dawel lle gallwn geisio dilyn rhyw fath o lwybr yn ôl at fy ngwreiddiau, er mor arw y ffordd bellach.

A dyna sut y bu hi arno nes iddo ymddeol.

Ni ddringodd Caradog i frig yr ysgol swyddi gyda'r *Telegraph*, er cymaint y parch a goleddid ato fel newyddiadurwr ac fel Prif Is-Olygydd Seneddol y *Telegraph*. Un noswaith, a hithau'n dawel yn y Swyddfa, ysgrifennodd yn ei lawysgrif gain druth diddorol am yr hyn oedd yn mynd ymlaen o'i gwmpas, gan draethu barn yn awr ac yn y man am un neu ddau o'i gydweithwyr:

> All is at peace. It is Friday night and I am sitting at my desk in the sub-editors' room of *The Daily Telegraph*. It is the Parliamentary Desk and I am the Chief Parliamentary Subeditor. But Parliament is in recess and I have very little to do except handle a few random stories such as the Trades Union Congress conference at Brighton or some political clap-trap written by that best of all contemporary political correspondents, Harry Boyne. Presently, perhaps, the Chief Sub Editor will come up to me and in a deferential, almost apologetic tone, ask me to handle the 'lead' which is the main story of the night and will appear, with my headlines and trimmings, in the first two columns of the paper's Page One.
>
> Meanwhile, I sit at my desk and between these spells of light duties, I survey my sanctuary. My desk is in a corner under a window through which the late evening sun streams in, as through the window of an Egyptian temple's cella, where stood the statue of the God. It is a vantage point from which I can survey all my colleagues. Over there at the top table sits this modern cella's god, the Night Editor. Frank is a quiet, unassuming and courteous boss, much bothered with a dreadful asthmatic cough, which is not improved by his near-chain smoking. He is now reading out to a small group of top men crouched around him, a list of the day's events compiled by the News Editor and deciding into what page of the paper each story will go, and how much space it will be given. Bill, the Chief Sub, a dour but likeable Celt, takes notes and plans his pages on large sheets in which the columns have been measured out in the equivalents of the paper's inches.

Cornel Caradog yn y Daily Telegraph

The Chief Foreign Sub, a newcomer of promise, named John Westoby, also takes notes and prepares to dole out the foreign stories, as they trickle in from all corners of the earth, to his little team of foreign subeditors grouped in an annexe opening out from the other end of the room opposite me. Norman (Palmer), a West Countryman, whom 30 years and more of Fleet Street slogging has not robbed him of his native rosiness, also takes notes . . . and he will be doling out the 'home' stories to his retinue of home subeditors. These, and those 'foreign' bods in the annexe – contemptuously referred to by the homers as 'the dormitory' – come in and out of the room in an ever-flowing stream, mostly from the provinces and from various farflung outposts of the dwindling British Commonwealth. Never, even in the jinglier days of the *Daily Express* and the *Daily Mirror*, has there been such a rapid and continuous turnover of staff as in this room in recent years. They come, as I came, to see and conquer; they get narked, or disillusioned, or bitten by ambition, and flit away to some other pasture for an extra guinea or two. *Sic transit gloria mundi*. Bent, bowed, and deglorified. I and a few others stay as this young stream swirls about our feet and passes on.

Directly to my left, in charge of the Manchester desk, which passes all the news to be printed in our Northern editions, sits Vincent, perpetually pining for retreat and retirement to the caravan which he has taken out to the Costa del Sol. Queer ideas of a holiday Vincent has. He will drive thousands of miles over the Alps or the Pyrenees in a little windowless van, sleeping in it at nights to save hotel expenses, and returning with a faraway look and a yearning in his eyes for all that wondrous scenery he must have passed by at a daily rate of 40mph.

At a desk immediately in front of me sits Harold Atkins, the sub-editor who looks after our Peterborough Linden Day-by-Day column. A gentle man of Balliol who walks with a curious gait in which his arms do not swing but hang motionless at his sides. Harold has a store of culture hidden under his bushed and sly humour which is quite likely to annoy those un-familiar with it. Intellectually, he is a cut above the rest of us.

Something akin to the primitive belief in the contagion of holiness seems to create this gulf between me and my colleagues in this room which gives me my sanctuary. I am invested with a mystique of bardism which makes me inviolable so long as I keep my mouth shut.

Dylid nodi ei fod wedi ennill edmygedd ei gydweithwyr ar fwy nag un achlysur, yn arbennig gyda'i benawdau bachog. Cofiwn am stori'r pedwar plisman a gafwyd yn yfed mewn tafarn ar ôl oriau cau; roeddent yn eu lifrai ac i fod ar ddyletswydd ar strydoedd Llundain. Pennawd Caradog uwchben hanes yr achos oedd: 'Four in a bar and a missed beat'. Meddai Peter Eastwood, Golygydd Gor-uchwyliol y papur, amdano yn 1985:

> He was past master in the art of writing the *Daily Telegraph*'s front page lead introduction summarising some late crisis, and on many occasions I would go 5 minutes before Edition time and say, 'Could we have a 4-paragraph front page intro on the latest news?' He would say, 'And what are the points for today's Lesson?' One would then recite the four points and by the time the Night Editor could get back to his chair the first paragraph, beautifully written, with two carbon copies, would be on its way to the Night Editor's desk, and in less than 5 minutes the new front page would go to press as though nothing had happened. To the Welsh, Caradog was a poet; to Fleet Street, he was a professional of great ability and enormous charm.

Bach iawn oedd ei gyflog ar hyd y blynyddoedd. Gweithiai bum noson o saith awr neu bum diwrnod o wyth awr a châi bedair wythnos o wyliau bob blwyddyn. Yn 1956, derbyniodd rodd o £10 gan y *Telegraph* 'as a recognition of your excep-tionally meritorious work during the Suez Crisis' ac yn Ionawr 1957 codwyd ei gyflog i £1300 y flwyddyn. Erbyn Ionawr 1963, roedd yn ennill £1900 y flwyddyn ond meddai yn ei ddyddiadur bum diwrnod ar ôl derbyn y codiad diwedd-araf hwn yn ei gyflog: 'Teimlo, fel erioed, fod y gwaith yn hollol ddibwrpas, a dyheu am waith a roddai ryw nod i fywyd. Nid yw hwn hyd yn oed yn cyflawni ei unig amcan, sef talu'r rhent'.

Ychwanegai rai punnoedd at ei gyflog drwy gyfrannu erthyglau i bapurau eraill megis y *News of the World*, y *Western Mail*, a'r *North Wales Weekly News* ac yn ei lawysgrifen ef y derbyniai John Roberts Williams, golygydd *Y Cymro*, golofn wythnosol 'Mati Wyn o Lundain'.

Ar wahanol adegau rhwng 1946 a 1956, bu Caradog yn Olygydd *Y Ddinas*, misolyn y Cymry yn Llundain ond yn ystod ei ddeng mlynedd gyntaf gyda'r *Daily Telegraph*, rhoes ystyriaeth ddwys i dri phosibilrwydd o gael dychwelyd i Gymru. Yn y lle cyntaf, ni fu ond y dim iddo gytuno i dderbyn gwahoddiad perchennog *Y Cymro*, Rowland Thomas, i fod yn Olygydd y papur hwnnw – ond 'diffyg hunanhyder, efallai' a barodd iddo wrthod cymryd y swydd. Yna, taro ar y syniad o ffurfio syndicet i brynu papurau'r *Herald* yng Nghaernarfon, lle dechreuodd ei yrfa, ond aeth y cynllun hwnnw i'r gwellt. (A chyda llaw, roedd prynu Castell i Mattie yn Nefyn yn rhan o'r 'breuddwyd' hwnnw!) A dyna, hefyd, ffawd ei ymwneud byrhoedlog â'r cais i sefydlu Teledu Cymru. Cofiwn na chafodd lwc, chwaith, gyda'i gais i fod yn 'Editor-Manager' o'r *North Wales Chronicle* yn 1952. A bodloni i'r drefn fu'n rhaid: 'O dipyn i beth, mi setlais i lawr wedi rhyw gyfaddawdu i fod yn Sais yn y gwaith ac yn Gymro gartref.'

Mari

Mattie â Mari yn ei breichiau

Ar Awst 11, 1947, gwireddwyd ei ddyhead i gydweithio â Mattie 'in the manu-facture of a little girl!' Ac fe aned Mari – Mari Christina – a fu'n gannwyll llygaid ei thad a'i mam, yn Ysbyty'r Santes Fair yn Paddington. Dathlodd Caradog ddyfodiad Mari i'r byd *cyn* ei geni (*ac wedyn*, hefyd, o ran hynny) a doedd edrych yn llygaid y geiniog (er mor wag y pwrs) ddim yn rhan o athroniaeth bywyd Caradog: 'Yn wir, mor llawen oeddwn wrth groesawu'r trysor bach newydd a roddwyd inni fel na bu'n boen yn y byd imi dalu canpunt a hanner am y gwely yn y ward breifat ynghyd â chost ei chludo hi a'i mam gartref yn urddasol mewn Rolls-Royce wedi ei logi gennyf.'

Pan aned Mari, roedd y teulu'n byw yn 81 Highfield Avenue, Golders Green, N.W.11, ond yn fuan iawn wedyn (drwy ymdrech a pherswâd a thaerineb Mattie), symudwyd i 2 Cavendish Avenue, St John's Wood, N.W.8. Tŷ dan rent, yn ddiddodrefn, gan British Rail oedd 2 Cavendish Avenue a'r rheilffordd yn rhedeg heibio gwaelod yr ardd. Roedd y tŷ'n crynu bob tro yr âi trên heibio ond, fel yr ysgrifennodd Mari rywdro, 'the house was lovely, and a smart address even then (astronomical now), near arty people, and my mother loved it.' Hyd yn oed pan godwyd y rhent yn sylweddol yn 1958, a'r teulu'n gorfod symud o'r herwydd, mynnodd Mattie eu bod yn symud i dŷ'r un mor ffasiynol o fewn yr un ardal. Cafodd fargen ddigon teg pan ddewisodd 7 Carlton Hill, tŷ dan rent eto, heb ei ddodrefnu, mewn cyflwr digon tila (mewn stryd ddigon di-raen a llwm ei golwg ar y pryd). Yr 'Eyre Estate, St John's Wood', oedd piau'r tŷ ac fe'i gosodwyd ar les o 7 mlynedd ar y tro, gyda'r tenantiaid yn gyfrifol am atgyweiriadau ac am gynnal a chadw'r tŷ mewn cyflwr da'n gyffredinol. Cymerodd Caradog a Mattie y les gyntaf arno ym Medi/Hydref 1958. Roedd y rhent ar ddechrau ail gyfnod y les (yn 1965) yn £400 y flwyddyn; pan adnewyddwyd y les yn 1972, cyflwynwyd rhes o atgyweiriadau costus i Garadog a Mattie a chodwyd y rhent i £1000 y flwyddyn. Dyma'r tŷ, a alwyd y 'Tŷ Gwyn' gan ei ddeiliaid newydd, a ddaeth yn ganolbwynt pwysig i laweroedd o Gymry ifainc alltud yn Llundain yn ystod rhan gyntaf ail hanner yr ugeinfed ganrif. Cawn sôn mwy am hynny yn y man.

Diwrnod bedyddio Mari

Ar ddiwrnod bedyddio Mari, tynnwyd llun y grŵp bedydd yng ngardd ffrynt 2 Cavendish Avenue. Ar y chwith (wrth edrych ar y llun), mae Edward Hunter-Blair (tad bedydd Mari), Mattie, Winifred Evans (ei mam fedydd) yn dal Mari, Caradog, ac yna, ar y dde eithaf, Ghislaine (Ghilly) de Reight (Tornezy wedyn). Un o wlad

Belg oedd Ghilly a weithredai fel rhyw fath o *au pair* i Mattie yn ystod y ddwy flynedd gyntaf ar ôl geni Mari. Fe barhaodd Mattie drwy'i hoes â'r arfer yma o roi llety a lloches – a charedigrwydd mawr – i dramorwyr (ac eraill, gan gynnwys rhai o Gymru) am iddynt hwythau yn eu tro weithredu, hyd y bo modd, fel rhyw fath o weision neu forynion bach i deulu'r Tŷ Gwyn.

Ychydig iawn a edrydd Caradog am flynyddoedd cynnar Mari ond noda iddo fynd â hi 'am dro beunyddiol yn ei phram. Mi yn y llorpiau a hithau'n syllu'n edmygus o glydwch ei gobennydd a'i gwely gwlanog ar yr ystumiau a wnawn ac yn ymladd yn ofer yn erbyn cwsg a'i meddiannai hi o sigl y pram.' A chadwyd un llun arbennig o'r ddau ar lan y môr.

Caradog ar lan y môr gyda Mari

Cawn wybod ymhellach ymlaen sut y chwaraeodd Mari ran allweddol ym mywyd ei thad ac, yn wir, ym mywyd y teulu'n gyffredinol.

Er yr holl lawenydd a ddaeth gyda geni Mari, roedd Caradog yn 'dyfal chwilio yn y niwl am y ffordd yn ôl.' Ac yn ystod y cyfnod hwn o aflonyddwch ac anniddigrwydd yn ei waith ac yn Llundain, ailafaelodd yn ei lenydda a throes, unwaith eto, at farddoni. Yn yr Eisteddfod Genedlaethol yn Aberystwyth ym mis Awst 1952, daethai Caradog Prichard yn olaf o bedwar am ei Gerdd Goffa i Prosser Rhys. 'Theseus' oedd ffugenw Caradog y tro hwn a'i hen gyfaill, Dewi Morgan, fel y nodwyd uchod, oedd y beirniad. Doedd y feirniadaeth ddim yn un ffafriol iawn a bu llawer o drafod wedi hynny ar gerdd Caradog.

Oddeutu dwy flynedd yn ddiweddarach, cyhoeddodd Caradog *Awdl Yr Argae*. Hon oedd y gerdd a anfonasai i Gystadleuaeth y Gadair yn Eisteddfod Genedlaethol Ystradgynlais dan y ffugenw *Nant y Benglog*. Y tu mewn i glawr y llyfryn bychan, ceir nodyn gan yr awdur yn nodi i'r gerdd fod yr un 'y methodd y beirniaid . . . ei deall.' Dyfynna farn y tri beirniad: 'Dywedodd Gwenallt fod y weledigaeth wedi ei thagu gan ddiffyg techneg y canu caeth. Dywedodd Meuryn fod ei chrefftwaith yn gampus ond nad oedd ystyr i'w hymadroddion. A dywedodd Edgar Phillips fod ei darllen yn flinder i'r cnawd.' Yna gwahoddir y darllenwyr, mewn llythrennu breision: 'BETH DDYWEDWCH CHWI?' Argraffwyd y gerdd yn breifat a rhoddwyd gwybodaeth drwy'r wasg ei bod ar gael gan yr awdur ei hun yn 2 Cavendish Avenue, St John's Wood, am swllt y copi.

Yna, yn 1957, ymddangosodd *Tantalus: Casgliad o Gerddi* a gyhoeddwyd gan Wasg Gee, Dinbych. Roedd ei ferch, Mari, yn ddeg oed pan gyhoeddwyd y gyfrol hon ond cynhwysodd ynddi soned dan y teitl, 'Fy Mechan Fwyn', a ysgrifennwyd pan oedd Mari tua chwech oed.

FY MECHAN FWYN

Myfi yw Dy dad sydd yn y nefoedd, f'Anwylyd,
    Sancteiddi fy enw, dygi fy nheyrnas im,
Gwnei fy ewyllys o ymyl-daear D'iselfyd
    Megis y mae yn fy nef heb ymofyn dim.
Rhof i Ti heddiw Dy lefrith-fara beunyddiol,
    I brofedigaeth ni'Th arwain fy mydol nawdd,
Gwaredaf Di rhag y drwg â'm gofal dwyfol
    Yn Dy chwerthin parod ac yn Dy ddagrau hawdd.
Hyn oll a wnaf, fy Mechan fwyn, canys Eiddot
    Ti ydyw'r deyrnas, D'enedigaeth-fraint
Pan ddelo'r dyddiau sy'n cyniwair Ynot
    I'w blwyddyn aeddfed ac i'w hoed a'u maint;
Eiddot hefyd yr holl ogoniant a'r gallu
A wybu'r taer freichiau hyn cyn dydd eu mallu.

Ac y mae i'r gerdd arwyddocâd arbennig. Symbylwyd Caradog i 'lurgunio'r Pader er ei mwyn' oherwydd ystyriai Mari yn 'ymgnawdoliad o'r Dwyfol, yr un i eiriol ar fy rhan'. Roedd Caradog yn ystod y cyfnod hwn yn dynn yng ngafael y ddiod gadarn a doedd aros mewn clinig i 'sychu' ddim hyd yn oed wedi cael effaith barhaol arno. Bu amryw droeon gorffwyll yn ei hanes, megis yr un pan achosodd dân yn y 'Grand' un noson ac i hynny gostio canpunt a hanner iddo. Dywed yr hanes yn *Afal Drwg Adda* (tt. 171-174) ond ni ddywed ble'r oedd y gwesty. Fel mae'n digwydd, cofiaf iddo ddweud y stori wrthyf ryw dro a nodi mai yn y Grand Hotel ym Mhenmaen-mawr y cyflawnodd yr anfadwaith!

Y Grand Hotel, Penmaen-mawr

Roedd ei alcoholiaeth yn creu problemau mawr i'w deulu hefyd. Haera Mari nad oedd yn yfed yn barhaus ac nad oedd yn broblem 'yfed bob dydd' ond cofia fel y treuliai gyfnodau mewn 'pwll du' o iselder. 'Bryd hynny', meddai, 'roedd yn gas . . . fe allai fod yn greulon . . .' Pan oedd Mari 'yn fenws o lances chwemlwydd ysgafndroed', fel y disgrifia Caradog hi, cafodd y 'rhybudd' cyntaf ganddi ynghylch ei oryfed. Yna, a hithau'n un ar ddeg oed 'a nerth ei braich a'i gwybodaeth wedi datblygu a chynyddu mewn grym', taflodd Destament ato, a'i daro ar ochr ei ben, am ei fod yn ffraeo'n fwy 'ffiaidd nag arfer' gyda'i mam. Ond, meddai Caradog, 'roedd y creisis i ddyfod, ac yn ei sgîl y trydydd a'r olaf rhybudd'. Yn 1960, pan oedd Mari'n dair ar ddeg oed, gadawodd lythyr ar ddesg ei thad:

Dear Daddy, — I've seen you in many states, but never as bad as tonight. The only results of this can be your being run over or run in. Both nearly happened tonight. If only you knew the things you do when you are drunk — if you ever saw someone else do them, and say the things you say, you would be so utterly disgusted and embarassed (*sic*) that you would wish to disown that person and be hundreds of miles away from him and from the people he had insulted and embarrassed (*sic*). That, I am sure, is how Mammy felt with you at the pub and bringing you home, and that is how I felt when we had to call Wendy up to help us lift you, a senseless dead weight, into bed. Wendy had never seen you like that before, and oh, I so hope that neither she nor anyone else will have to see that again. If this does not finish, you know what will happen. You have never got to drink again. — Mari.

P.S. — You can be jolly grateful to Mammy for squaring the policemen tonight.

Fe ddysgwyd y wers ac fe ddechreuwyd ar gyfnod newydd – ond nid o *lwyr-ymwrthod!*

PENNOD 19

Tristwch a Hwyl y Pum Degau

Rhwng cyhoeddi *Awdl Yr Argae* a *Tantalus: Casgliad o Gerddi*, daeth profedig-aeth lem i ran Caradog Prichard. Ar Fai 1, 1954, ac yntau'n 49 oed, bu farw Margaret Jane Pritchard, ei fam, yn y Seilam yn Ninbych. Roedd wedi treulio oddeutu deng mlynedd ar hugain yno. Claddwyd hi ym Mynwent Glanogwen, Bethesda, gyda'i gŵr, John, a William, eu mab. Ar y garreg fedd dal o lechen las

Bedd teulu Caradog

124

Chwarel y Penrhyn, ceir yr arysgrif a ganlyn: 'Er cof am John Pritchard, 24 Pen-y-Bryn, yr hwn a fu farw trwy ddamwain yn Chwarel y Penrhyn ar y 4ydd o Ebrill, 1905, yn 34 Mlwydd Oed. "Yng nghanol ein bywyd yr ydym mewn angau". Hefyd ei blentyn, William Pritchard, a fu farw Ebrill 26ain 1897, yn 5 wythnos oed. Hefyd ei briod annwyl, Margaret Jane Pritchard, Gorff. 15, 1875 – Mai 1, 1954.'

Ond daeth un fendith yn sgîl y brofedigaeth fawr o golli mam. Ar ôl deng mlynedd ar hugain o ddieithrwch, daeth Caradog a Howell wyneb yn wyneb unwaith eto. Edrydd Caradog y stori mewn ysgrif yn *Yr Herald Cymraeg*, Medi 19, 1972:

> Deffrois o hunllef erchyll yn y Douglas Arms [Hotel, Bethesda] i'w weld yn sefyll wrth yr erchwyn yn gwenu'n frawd mawr unwaith eto arnaf. Ond wedi sioc yr hunllef, yr oedd ei ddrychiolaeth yn sioc arall. Uwch gwên ei wyneb bochgoch, roedd cnwd o wallt claerwyn. Ac ymhen ychydig oriau roedd arch mam wedi cyrraedd o Ddinbych ac wedi aros dros y ffordd wrth borth yr Eglwys, yn disgwyl i ni ei hebrwng yno ac i'w gorffwys olaf. Wedi hynny, buom ddau frawd drachefn, yn cwrdd bob haf yn yr hen fro ac weithiau yn yr Eisteddfod . . .

Yn Awst 1958, yn Eisteddfod Genedlaethol Glynebwy, mae Caradog yn cael tynnu ei lun gyda Huw Lloyd Edwards (a fuasai'n fuddugol ar y Ddrama Hir) a

Huw Lloyd Edwards, Caradog a Meuryn

Meuryn (cyfaill agos i Garadog ers dyddiau Caernarfon) a oedd yn beirniadu cystadleuaeth ysgrifennu 'Dwy Ysgrif Olygyddol'. Lluniodd Huw Lloyd Edwards gartŵn celfydd iawn yn ystod yr wythnos.

Cartŵn Huw Lloyd Edwards

Yn ogystal â dianc o Lundain i faes yr Eisteddfod am wythnos bob blwyddyn ac i Ddyffryn Ogwen am gyfnod o wyliau bob haf, roedd troi aelwyd y Tŷ Gwyn yn hafan Gymraeg a Chymreig, a hyd yn oed yn ganolfan ryngwladol, hefyd yn ddihangfa o fath o fwrlwm bywyd prysur prifddinas Lloegr. Bu llaweroedd yn aros yn y Tŷ Gwyn dros y blynyddoedd a Mattie fel mam i bob un ohonynt. Byddai'n cynorthwyo ambell un o wlad dramor i roi sglein ar ei Saesneg ac, wrth gwrs, byddai'r drws yn agored led y pen *bob amser* i unrhyw Gymro neu Gymraes a alwai heibio. Rhyw ddiddordeb ymylol a gymerai Caradog yn y fintai o letywr. Cofiaf fod ar eu haelwyd rywdro yn y saith degau a Charadog yn mynegi peth syndod bod rhywun o China wedi ei basio ar y grisiau y bore hwnnw a Mattie yn ymateb fel chwip ''Does dim syniad 'da chi, Caradog, *pwy* sy'n aros yn y tŷ 'ma, nac oes!' Un o'r rhai anwylaf a fu'n aros yn y Tŷ Gwyn, ac a gafodd garedig-rwydd mawr ar yr aelwyd, oedd Kazumi, o Japan. Ddechrau'r saith degau, daeth Kazumi gyda Charadog a Mattie i Fethesda pan oedd Caradog yn cael ei ffilmio, ar gyfer rhaglen deledu amdano, wrth Bont-y-Twr ac yn Chwarel y Penrhyn.

126

Caradog, Mattie a Kazumi

Cynhelid nosweithiau llawen yn rheolaidd yn y Tŷ Gwyn a thyrrai Cymry alltud o bob cwr i fwynhau croeso gwresog Caradog a Mattie. Mae'n debyg mai ym mhum degau a chwe degau'r ganrif ddiwethaf yr oedd y nosweithiau cawl a chân hyn ar eu hanterth pan oedd llawer iawn o bobl ifainc Cymru wedi dylifo i Lundain i chwilio am waith. Cofia Hafina Clwyd un achlysur arbennig yn 1959 pan oedd Mattie wedi gwahodd cynrychiolwyr Cwmni Recordiau Delysé i'r Tŷ

Gwyn i wrando ar Ryan Davies. Cofnodwyd yr achlysur hwnnw yn y llun isod (a dynnwyd gan Oswald Jones). Ymhlith y rhai a welir yn y llun, y mae Howard Goodfellow (yr ail o'r dde wrth y bwrdd) ac ychydig i'r dde o'r canol, Ryan Davies. Mari sydd â'i chefn at y camera a'r un sydd â hanner uchaf ei hwyneb yn y golwg y tu ôl i Mari yw Miriam, merch o Drawsfynydd, a oedd yn edrych ar ôl Mari. Gwelwn Garadog ar y chwith, yn canu'i hochr hi, a Mattie i'r chwith o'r canol. Hafina Clwyd sydd ar y chwith yn y gôt weu wen a'r tu ôl iddi y mae Gwen Edwards; y tu ôl iddi hithau, â dim ond ei ben, fwy neu lai, yn y golwg y mae Rhydderch Jones. Saif Isabella Wallich (Cwmni Delysé) rhwng Caradog a Hafina, a gwelwn Mattie yng nghanol y llun.

Cawl a Chân yn y Tŷ Gwyn

Erbyn dechrau'r chwe degau, fel y dywed Caradog ei hun yn *Afal Drwg Adda*:

> . . . roedd y 'rhwyg yn yr enaid' wedi ei mendio'n o dda, a dechreuais ailafael o ddifrif mewn llenydda yn yr unig iaith y medrwn wneud hynny. Y canlyniad fu un nofel dra llwyddiannus, *Un Nos Ola Leuad*, llyfr arall o straeon dan y teitl *Y Genod yn ein Bywyd*, ac, yn goron ar y cwbl, ennill Cadair Eisteddfod Llanelli am yr Awdl 'Llef un yn llefain' . . . roedd y gwreiddiau wedi dechrau ailafael a'r ffydd fel pe'n dechrau dod yn ôl.

Un Nos Ola Leuad

Clawr Un Nos Ola Leuad. *Llun o waith Kyffin
Williams sydd ar y clawr ond pwysleisia'r
arlunydd mai dyluniad 'bras' oedd y llun
hwn ac nad oedd wedi bwriadu iddo
gael ei ddefnyddio fel hyn*

Ac yn ôl at ei wreiddiau yr aeth Caradog Prichard gydag *Un Nos Ola Leuad* – un o'r nofelau gorau a ysgrifennwyd erioed. Yn Nyffryn Ogwen ei blentyndod y cafodd ei ysbrydoliaeth ac fe seiliwyd rhannau helaeth o'r gwaith ar ddigwydd-iadau, pobl a llefydd gwirioneddol. Ar ddechrau'r nofel, darllenwn 'Nodyn yr Awdur':

> Er bod brith-gofion bore oes yn sail i ambell ddigwyddiad yma, ystumiwyd cymaint gan amser a dychymyg fel nad oes unrhyw gysylltiad uniongyrchol ag unrhyw berson yn yr un o'r cymeriadau, ac y mae 'eu dydd yn gelwydd i gyd' . . .

Ond pa mor wir ydi hynny, mewn gwirionedd? Cyfyd nifer o gwestiynau. A oes enwau llefydd yn y nofel sy'n cyfateb i lefydd go ddifri yn Nyffryn Ogwen? A oes enwau pobl a chymeriadau yn y nofel sy'n cyfateb i bobl go iawn a fu'n byw yn Nyffryn Ogwen? A oes digwyddiadau yn y nofel sy'n cyfateb i ddigwyddiadau go wir yn Nyffryn Ogwen? A oes enwau llefydd a phobl yn y nofel nad ydynt bob amser *yn union* fel y rhai go iawn ond a allai fod wedi codi o gof plentyn ac isymwybod yr awdur? Ac mae'r atebion yn gadarnhaol bob tro ac yn gerrig milltir amlwg sy'n tystio'n bendant fod elfennau cryf o hunangofiant yr awdur yn y nofel hon. Nodaf ychydig enghreifftiau'n unig yma.

Y 'Pentra', wrth gwrs, ydi Bethesda a 'Reglwys' ydi Eglwys Crist Glanogwen.

Edrych i'r de o ben hen domen Chwarel Pant Dreiniog. Gwelwn ran o'r pentref, gydag Eglwys Glanogwen ar y chwith. Pen y Braich yw'r bryncyn ar y chwith i'r 'Lôn Bost' sy'n rhedeg drwy ganol y llun i gyfeiriad Nant Ffrancon a Llyn Ogwen. Y mynydd yn y cefndir ar y chwith yw Pen yr Ala Wen, gyda'r Glyderau yn y pellter a Charnedd y Filiast a Mynydd Perfedd ar y dde, a Mynydd y Fronllwyd lle gwelir ponciau Chwarel y Penrhyn

Y 'Lôn Bost' ydi'r A5 sy'n rhedeg drwy ganol Bethesda – y ffordd a ddefnyddiwyd gan y Goits Fawr i gario'r Post rhwng Llundain a Chaergybi – a 'Rafon' ydi Afon Ogwen sy'n rhedeg drwy Nant Ffrancon a Bethesda bron iawn yn gyfochrog â'r Lôn Bost.

Afraid dweud mai'r 'Chwaral', a gaiff gymaint o sylw yn *Un Nos Ola Leuad*, yw Chwarel y Penrhyn a drosglwyddwyd o ddwylo teulu'r Penrhyn i afael Cwmni McAlpine ddechrau chwe degau'r ganrif ddiwethaf.

Y 'Lôn Bost' – yr A5

Ac mae nifer o gymeriadau *Un Nos Ola Leuad* wedi eu seilio ar gymeriadau o gig a gwaed a arferai droedio strydoedd Dyffryn Ogwen pan oedd Caradog Prichard yn blentyn. Cyfeiriwyd eisoes at Preis Bach Sgŵl (Thomas Jervis) a'i fab, Bob, ac at y Canon (y Canon R. T. Jones), ac fe ellid ychwanegu Harri Bach Clocsia, Anti Elin Bwlch, Arthur Tan Bryn, Wil Elis Portar, Wil Colar Starts ac eraill – i gyd wedi eu seilio ar bobl go-iawn. Yn yr un modd, gellir adnabod nifer o sefydliadau a llefydd fel rhai a berthynai i ardal plentyndod Caradog Prichard – Siop Bee Hive, Siop Chwech a Dima, Porcsiop, Tafarn y Blw Bel, Y Rheinws, Y Ficrej, Capel Siloam, Cae Robin Dafydd, Ceunant, Glan Rafon, Lôn Newydd, Mount Pleasant, Pant, ac felly yn y blaen.

Er i'r nofel hon gael ei hysgrifennu yn nhafodiaith Dyffryn Ogwen, enillodd fri a phoblogrwydd nid yn unig ledled Cymru ond y tu hwnt i Glawdd Offa hefyd ac mewn nifer o wahanol wledydd. Menna Gallie oedd y gyntaf i gyfieithu *Un Nos Ola Leuad* i iaith arall. Ymddangosodd ei chyfieithiad hi i'r Saesneg, dan y teitl *Full Moon*, yn 1973 a chafwyd cyfieithiad arall i'r Saesneg yn 1995 gan Philip Mitchell – *One Moonlit Night* (Penguin Books) – gyda Rhagymadrodd gan Menna Baines. Cyfieithwyd *Un Nos Ola Leuad* i nifer o wahanol ieithoedd; dyma ddetholiad o deitlau'r cyhoeddiadau hynny: *Une Nuit de Pleine Lune* (Ffrangeg), *Za úplnku* (Tsieceg), *Una Noche de Luna* (Sbaeneg), *In einer mondheller Nacht* (Almaeneg), *Mia vuxta me feggapi* (Groeg), *In de maneschijn* (Iseldireg), *En månelys nat* (Daneg). Yn 1991, gwnaethpwyd ffilm awr a hanner gan Gwmni Gaucho (a ddangoswyd am y tro cyntaf yn Neuadd Ogwen, Bethesda – y 'world premiére', ys dywedai Mattie).

Llwyddiannau ac Anawsterau'r Chwe Degau

Carreg filltir bwysig yn hanes Caradog oedd ennill y Gadair am ei awdl, 'Llef un yn Llefain', yn Eisteddfod Genedlaethol Llanelli yn 1962.

Yr Osgordd yn mynd tua'r llwyfan yn Llanelli, gyda T. H. Parry-Williams ar y dde yn edrych tuag at Garadog Prichard

Nid yn unig yr oedd y testun yn un addas ond roedd ennill y Gadair yn brawf i mi nad oedd y cwbl wedi ei golli. Roedd hefyd i mi yn gyfiawnhad o'm dull o fyw – yn dawel, heb uchel geisio nac isel ymgreinio . . . Pan gofir am fy mreuddwyd ifanc o gael bod yn berson, fe welir mai ffrwyth profiad mewn ffordd o siarad oedd yr awdl honno hefyd. Ac efallai imi roddi cnewyllyn y profiad ar ddiwedd yr awdl:

A mynych Ethsemane a rannaf a'm Prynwr mewn ceule

Gan wylo'i gwae anaele â bloedd fy nolurus ble:

132

'O! Ardd ei finiog riddfannau a'i wŷn yn ninerth awr angau,
Gyr waedd dy lym geryddau i ddydd mawr gynnydd y gau;
   Dydd ein ffydd a ddiffoddwyd ar bob tu
   A dilesg allu dy lais a gollwyd . . .

Seremoni Cadeirio Caradog Prichard yn Llanelli

Derbyniodd Caradog wahoddiad i fod yn bresennol i gael ei gadeirio yn Llanelli oddi wrth Ysgrifennydd yr Eisteddfod, sef Ernest Roberts, ei hen gyfaill ers dyddiau plentyndod. Ymatebodd i'r cais am nodiadau bywgraffyddol i'w rhoddi i ohebwyr mewn cynhadledd i'r wasg fel a ganlyn:

133

F'annwyl Ernest,

Gobeithiaf y gwna'r amgaeedig y tro. Pe bawn i wedi ei sgrifennu yn Gym-
raeg fe fyddai'n rhaid i mi gael deud mai hogyn Jac Bach Mangl ydw i – a
fasa'r Seuson [*sic*] diawl yna ddim yn dallt!

Cofion serchog,
Caradog

Roedd Mattie a Mari wedi cyrraedd yr Eisteddfod yn Llanelli o flaen Caradog.
Cofiaf Mattie'n adrodd wrthyf hanes yr achlysur yn ei dull dihafal ei hun, mor
ddramatig a byw. I ddechrau, roedd Mattie wedi rhoi siars bendant i Garadog, a
oedd i deithio ar drên ar ei ben ei hun o Lundain, i gadw pob elfen o'r dathlu tan
ar ôl seremoni'r cadeirio. Pwysodd arno i beidio ag yfed yr un diferyn ar ei ffordd
i Lanelli. Ond 'nid fy meddyliau i yw eich meddyliau chi' fu hi y tro hwn ac
edrydd Caradog yr hanes yn *Coronau a Chadeiriau,*

> Pan glywais i 'mod i wedi ennill Cadair Llanelli, mi drefnais yn ddistaw
> bach i gael dathliad ac aduniad gyda dau hen gyfaill o ddyddiau India. Un
> oedd Siôn Pitar o'r Waun-fawr. 'Roeddem ni wedi cwrdd yn India flynydd-
> oedd ar ôl bod yn cydletya yng Nghaernarfon. Ac ar ôl y cwrdd yn India
> roeddwn i wedi canu soned iddo . . . Y cyfaill arall o ddyddiau India oedd
> Selwyn Samuel, Clerc Tref Llanelli. Ond aeth pethau'n chwithig ynglŷn â'r
> dathlu. 'Roeddwn i wedi dod â stoc fach o ddiod hefo mi o Lundain, ond yn
> anffodus mi gefais rihyrsal fach yn y trên. A'r canlyniad fu anwybyddu
> stesion Llanelli a thrwy ryw Ragluniaeth drugarog, deffro yn stesion
> Caerfyrddin a dal y trên nesa'n ôl . . . fe gafwyd aduniad a dathliad bach
> mwy sydêt ym Mharlwr y Maer drannoeth y cadeirio, a gwydriad o sieri
> dinesig gyda Selwyn.

Bu sawl fersiwn ar y stori hon ac fe ddatblygodd elfennau dramatig tu hwnt
ynddi dros y blynyddoedd (gan gynnwys yr hanesyn 'chwedlonol' hwnnw fod
Mattie wedi rhoi Caradog dros ei ben a'i glustiau mewn bath oer i'w sobri cyn
seremoni'r Cadeirio!). Mae'r fersiwn a adroddodd Mattie wrthyf yn estyniad ar y
stori a gafwyd gan Garadog yn *Coronau a Chadeiriau.* Roedd hi a Mari, meddai,
yn disgwyl i Garadog ddod oddi ar y trên yng ngorsaf Llanelli ond, fel y
gwyddom, ni ddigwyddodd hynny. Wrth ddychwelyd i'w gwesty, heb y darpar
fardd cadeiriol coll, trawodd Mattie ar syniad gwefreiddiol. Pan ganai'r corn
gwlad i wahodd y bardd buddugol i sefyll, geneth ysgol bymtheg oed a godai yn
y dorf a hi a hebryngid gyda'r holl rwysg gorseddol arferol i oleuni llachar y
llwyfan – a'r gynulleidfa wedi'i syfrdanu at yr olygfa ac yn methu amgyffred y
fath ryfeddod. Yna, cyhoeddai'r Archdderwydd mai Mari Prichard oedd y ferch
ifanc a'i bod yno i gynrychioli ei thad, y Prifardd Caradog Prichard – yn ei absenol-

deb anorfod. 'Meddyliwch am benawdau'r papurau newydd y bore wedyn,' meddai Mattie, 'mi fyddai Cymru gyfan yn siarad am y peth am hir iawn!' Gwaetha'r modd – ar ryw ystyr – nid felly y bu a daeth galwad ffôn i Mattie i ddweud bod Caradog ar ei ffordd yn ôl i Lanelli. Dryswyd ei chynllwyn rhyfygus a beiddgar – a Charadog a gadeiriwyd.

Caradog yng Nghadair Llanelli

Stori ddramatig, dda – ond mae'n rhaid gofyn faint o 'Mattie' oedd yn y stori hon hefyd. Yn ôl pob tebyg, y diwrnod (neu efallai'r gyda'r nos) *cyn* y Cadeirio y digwyddodd y ddrama wreiddiol yn y trên. Cofia Mari fod ar faes yr Eisteddfod *gyda'i* thad ar ddiwrnod y Cadeirio, yn disgwyl mynd i mewn i'r Pafiliwn. Roedd Caradog, Mattie a Mari yn eistedd wrth ymyl ei gilydd yn disgwyl i Seremoni'r Cadeirio ddechrau – a Charadog yn gwbl sobr.

Cyhoeddwyd yr awdl fuddugol yn llyfryn, yn dwyn teitl y gerdd, *Llef un yn Llefain* (Llyfrau'r Dryw, Llandybïe) yn 1963.

135

Y ffug-gadeirio yn swyddfa'r Daily Telegraph

Pan ddychwelodd Caradog at ei waith yn y *Daily Telegraph* yn dilyn ei fuddug-oliaeth yn Llanelli, roedd ei gydweithwyr wedi trefnu tipyn o syrpreis ar ei gyfer. Roeddent wedi cynllunio ffug-ddefod gadeirio yn y swyddfa a chanddynt goron a chleddyf yn barod i berfformio'r 'seremoni'.

Ddechrau 1963, roedd unwaith eto'n dioddef o iselder go arw ac yn ddi-sgwrs a surbwchaidd ar yr aelwyd; ai dyma 'arwyddion cyntaf melancolia a manic depres-sion', ymholodd yn ei ddyddiadur. Adduned Caradog ddydd Mawrth, Ionawr 1, 1963, oedd: 'Tyngu llw i lwyrymwrthod weddill y flwyddyn, ac i wneud digon o arian i fyw'n ddiddyled'. Pwysleisir ei broblemau ariannol, a'i gyflwr meddyliol yn sgîl hynny, yn y cofnodion a gawn yn ei ddyddiaduron yn ystod y cyfnod hwn:

Dim arian o gwbl. Gorfod benthyca i gael swper . . . Llythyr o'r MB [Midland Bank] Bethesda yn dweud bod arnaf £46 . . . Y car heb drwydded . . . Dim llawer o hwyl ar gysgu . . . Talu 7½ gini i'r banc. Prynu trwydded radio £4 . . . Ffonio Gwasg Gee (8s 6c) am freindal ar 'Un Nos Ola Leuad'. Charman [Gwasg Gee] yn addo sgrifennu ac yn fy annog i fynd ymlaen a'r 'Genod'. Rhaid i mi ddal ati! . . . Llythyr gan Charman yn dweud bod rhyw £26 o freindal i ddod. Druan o awdur o Gymro . . . Cael cyfrif o Fethesda, debit £47. Anfon £10 i Rootes. Dim ond £12 o ddyled eto ar y car . . . Ffrae ag E yn yr offis. Bydd yn rhaid gwneud rhywbeth ynghylch y diawl . . . Cur yn y pen – hel meddyliau am yr Angau! . . . Llythyr gan y DT [*Daily Telegraph*] yn codi nghyflog i £1900. Ond nid yw'n hanner digon i fyw arno yn Llundain heddiw . . . Clirio a stau papurau. Biliau rif y tywod mân!

Oedd, roedd hi'n fain ar deulu'r Tŷ Gwyn yn St John's Wood a'r hen esgid fach yn gwasgu'n dynnach o hyd. Ond, er gwaethaf popeth, rhoddwyd yr argraff yn gyhoeddus eu bod uwchben eu digon ac yn byw'n foethus a chyfforddus tu hwnt – ac i Mattie, yn bennaf, yr oedd y diolch am roi'r wedd honno i bawb o'i chwmpas. Ac er y cyni, roedd croeso, caredigrwydd a haelioni Caradog a Mattie yn unigryw. Cawn stori fach o gyfeiriad annisgwyl a rydd enghraifft o ba mor rhyfeddol o garedig y gallai Caradog fod. Pan gyhoeddwyd *Full Moon*, Menna Gallie, ymddangosodd adolygiadau ffafriol iawn mewn o leiaf ddeunaw o bapurau newydd mwyaf blaenllaw Lloegr a daeth yn chweched yn rhestr 'Best Sellers' y *Manchester Evening News* ar Chwefror 2, 1973. Un a ymatebodd i adolygiad a welsai yn y *Sunday Express*, Ionawr 7, 1973, oedd Olwen Caradoc Evans, Conwy, ac mewn llythyr o'i heiddo a ymddangosodd yn y papur hwnnw ar Ionawr 14, 1973, rhydd enghraifft ddiddorol o haelioni anhygoel Caradog:

> There is an episode in Caradog Prichard's life which is not known to many people.
>
> Many years ago during the Depression a friend of mine, who is now dead was trying to sell vacuum cleaners. He had no car and travelling up and down the hilly slopes of Wales carrying a vacuum cleaner was not an easy occupation. Caradog Prichard happened to be visiting Wales on business and one morning he asked my friend to accompany him to the station. On arrival at the station, just before the London train was due to steam out, Caradog Prichard handed my friend the car keys and said: 'Here is my car as a gift, to make your job easier.'
>
> He may have been bewitched by that old devil moon [cyfeiriad at bennawd yr adolygiad yn y *Sunday Express*], but how many people are there as generous as that?

Yn 1964, roedd yn beirniadu cystadleuaeth y Fedal Ryddiaith yn Eisteddfod Genedlaethol Abertawe gyda John Gwilym Jones a Glyn Ashton.

Beirniaid cystadleuaeth y Fedal Ryddiaith yn 1964

Yn 1964, hefyd, cyhoeddodd gasgliad o storïau ac ysgrifau – *Y Genod yn ein Bywyd* – 'y llyfr rhyfedd hwnnw' fel y cyfeiriai Caradog ei hun ato. Ni fu'r gwaith hwn hanner mor llwyddiannus â'i nofel hunangofiannol a chroeso digon llugoer a gafodd drwodd a thro. Ond mae'n rhaid crybwyll ambell elfen yn hanes carwriaeth y storïwr yn y gyfrol honno ag un o'r 'genod' yn ei fywyd sy'n rhyfeddol o debyg i hanes Caradog ei hun ac un o'i gariadon cyntaf. Anwen yw enw'r cymeriad yn *Y Genod yn ein Bywyd* a chawn wybod ei bod yn ferch ffarm ac yn fyfyrwraig ddeunaw oed yn y Coleg Normal ym Mangor. Onid dyna Awen (a ddeuai o ffarm Rhyd y Galen ym mhentre Bethel) y sonnir amdani yn *Afal Drwg Adda*? Daw carwriaeth y storïwr ac Anwen i ben fel a ganlyn: '. . . cefais lythyr ganddi, yn ei llawysgrif wrywaidd, dlos . . . yn dweud bod popeth drosodd rhyngom . . .' Mor debyg i'r geiriau a ddefnyddiodd Caradog yn *Afal Drwg Adda* i ddisgrifio diwedd y garwriaeth rhyngddo ef ac Awen: '. . . byddwn yn cael ambell lythyr ganddi mewn llawysgrif gain, wrywaidd. Ond cyn hir fe ddaeth y llythyr olaf . . .'

Roedd y chwe degau yn gyfnod y ffoi o Lundain am wyliau i'w hen fro. Yno, yn nhawelwch y bryniau unig, roedd Caradog a Mattie wedi cael bwthyn – Tan-y-garth Bach – dan rent gan Richard a Margaret Temple Morris, Ffarm Tan-y-garth gerllaw.

Ond y digwyddiad pwysicaf o lawer yn ei hanes yn y cyfnod hwn oedd, yn ei eiriau ef, y 'croeso dinesig' hwnnw a roddwyd iddo ym mro ei febyd yn 1963.

Tan-y-garth Bach

Nos Wener, Mawrth 15, 1963, cynhaliwyd cyfarfod arbennig yng Nghapel Bethesda i roi teyrnged i ddau o feibion Dyffryn Ogwen, sef y Prifardd Emrys Edwards a'r Prifardd Caradog Prichard, y naill wedi ennill y Gadair yn Eisteddfod Genedlaethol Rhosllannerchrugog yn 1961 a'r llall yn Brifardd Cadeiriol Llanelli y flwyddyn ganlynol. Emlyn Jones, Cadeirydd y Cyngor Dinesig a'r un a awgrymasai drefnu cyfarfod o'r fath, oedd Llywydd y Cyfarfod, a'r Arweinydd oedd Ifor Bowen Griffith.

Cymerwyd rhan gan ddisgyblion Ysgol Dyffryn Ogwen a Chôr Meibion y Penrhyn, gyda chyfraniadau unigol gan Emrys Morgan a Nêst Williams. Traddodwyd anerchiadau gan Idris Foster, J. O. Williams, Ernest Roberts a Glyn Penrhyn Jones. Cofir i Garadog, wrth ymateb, nodi ei fod ef yn Ysgol y Sir, Bethesda, ychydig o flaen Emrys, ac meddai, 'Pwt oedd Emrys yn dysgu smocio – roeddwn i wedi dechrau cnoi erbyn hynny.'

Cyflwynwyd arluniadau o waith arlunydd lleol, Tom Parry Jones, i'r ddau Brifardd – afraid dweud mai llun o Bont-y-Twˆr oedd dewis Caradog. Pennawd *Y Cymro* wrth adrodd hanes y cyfarfod teirawr oedd: 'Noson Fawr a'r Gwyrthiau'n Stôr o Dynymaes i Donnau'r Môr'.

Ar y dydd Sul yn dilyn y Cyfarfod Croeso, aeth Caradog a Mari i'r gwasanaeth

---

TEYRNGED

DYFFRYN OGWEN

i

Brif-Feirdd

Eisteddfod Genedlaethol Cymru

1961 a 1962

CYFARFOD   CROESO

YNG NGHAPEL " BETHESDA "

Nos Wener, Mawrth 15fed, 1963,

am Saith o'r gloch.

Mynediad i mewn trwy Raglen yn unig.

G. L. Williams, Caxton Press, Llanfairfechan.

Clawr Rhaglen y Cyfarfod Teyrnged ym Methesda

Ernest Roberts, J. O. Williams, Idris Foster ac Ifor Bowen Griffith

Y Prifardd Emrys Edwards a'r Prifardd Caradog Prichard yn cael eu cyflwyno
ag arluniadau o waith Tom Parry Jones. Emlyn Jones, Cadeirydd y Cyngor Dinesig
a Llywydd y Cyfarfod, oedd yn cyflwyno'r arluniadau i'r ddau Brifardd

Caradog Prichard, Mattie, Mr a Mrs Alun Ogwen Williams a Mari.
Roedd Caradog ac Alun Ogwen yn yr Ysgol Sir gyda'i gilydd

cymun yn Eglwys Glanogwen a chofnododd yn ei ddyddiadur: 'Clywed y Ficer yn dweud wrth y plant newydd eu conffyrmio i mi gael fy nghonffyrmio yn St Mair, Gelli, Ebrill 6, 1918, a chael fy Nghymun cyntaf yng Nglanogwen Mai 5, 1918.'

William John Brown,
cefnder Caradog

Ddwy flynedd yn ddiweddarach, daw Caradog yn ôl i Eryri ond i Ddeiniolen y tro hwn, i angladd ei gefnder, William John Brown.

Roedd Caradog a William John wedi cadw cysylltiad agos dros y blynyddoedd a chynhwysir yn *Cerddi Caradog Prichard – Y Casgliad Cyflawn*, t. 182, gerdd yn dwyn y teitl 'William John (sef W. J. Brown, cefnder a chymeriad union a thirion)'. Byddai Margaret Jane, mam Caradog, yn cerdded pum milltir go dda yn rheolaidd o Fethesda i dyddyn Bwlch Uchaf, Deiniolen, i weld ei chwaer, Mary (Anti Elin yn *Un Nos Ola Leuad*). Câi Caradog fynd efo hi yn ystod y gwyliau ysgol a byddai wrth ei fodd yng nghwmni ei fodryb a'i gefnder (sef Guto Bwlch yn y nofel).

141

Bwlch Uchaf, Deiniolen, cartref William John Brown

Roedd William John, a fuasai'n gweithio yn Chwarel Dinorwig, wedi symud o'r Bwlch Uchaf i fyw yn 7 Vaynol Terrace (Tai Faenol), Deiniolen, ac am ddwy flynedd olaf ei fywyd edrychwyd ar ei ôl gan Mrs Mary Thomas, a symudasai i fyw ato ym mis Chwefror 1964. Pan fu farw, yn 70 oed, ar Chwefror 14, 1966, daeth Caradog a Howell i'w angladd ac aros yng ngwesty'r Waverley ym Mangor, lle bu'r ddau'n 'rhannu atgofion uwch potel o *Scotch* . . . William John wedi gadael mil o bunnoedd yr un inni,' meddai Caradog, 'a ninnau'n teimlo fel milionêrs . . .' Cyngor Mari iddo, meddai yn ei ddyddiadur, oedd: 'Nac edrychwch ar y corff' ac ar gyfer dydd Sadwrn yr angladd, Chwefror 19, nododd: 'Diwrnod galarus, glawog a chymylog. Ond cododd yn braf dros awr yr angladd.'

Caradog yn unig a ddaeth i wasanaeth coffa William John Brown yn Eglwys Llandinorwig ddydd Sul, Mawrth 6, gan nad oedd Mary, gwraig Howell, wedi bod yn dda. Ychwanega Howell, mewn llythyr at ei frawd yn sôn am gwrdd yn Neiniolen i chwalu'r cartref: 'I don't suppose she will let me come on my own again – she guesses what sort of time we had together after the funeral . . . I told her I left you sleeping peacefully in the train at Chester . . .'

Claddwyd William John Brown, a oedd yn ddibriod, yn yr un bedd â'i chwaer, Mary, a fuasai farw yn 1950. Ysgrifennodd Caradog englynion er cof am y ddau. Er cof am Mary:

> Ei hyfrydwch fu rhodio – heolydd
> Heulog fyd heb flino;
> Yn ddi-drwst dychwelodd dro
> Adref o'i llawen grwydro.

ac o safbwynt William John, yr englyn a ganlyn a ddewiswyd i'w roi ar y garreg fedd ef (o bedwar arall a ysgrifennodd Caradog):

> Tra o wyddfod d'orweddfa – troi a wnes
> At wern oer Bwlch Ucha';
> Dôi o geuffos dy goffa
> Wawr hinon ein dynion da.

Carreg fedd William John Brown a'i chwaer, Mary

Ar ddechrau'i ddyddiadur ar gyfer 1967, mae Caradog yn ysgrifennu fel a ganlyn:

Hoffwn eleni fynd ar daith i weld hen gydnabod, dyweder tua'r Sulgwyn. Cychwyn efallai yn Amwythig. Noson hefo Siôn Pitar. Ymlaen i Dyfos. Efallai aros yn y Bala. I lawr i Stiniog ac i Ddolwyddelen. Eigra Lewis yno. Trawsfynydd. Doris Tudor? Yna, ymlaen i Fetws y Coed, Ewart. Llanrwst, Agnes a Howell Jones. Penmaenmawr, Dafydd Em a Laura; Bethesda, J.O. Capel Curig, Mabel a'i gŵr. Felinheli, J.T.; Bangor, Alun Llywelyn Williams. Pwllheli, Maggie [Ai Mrs Margaret Jones, 6 Recreation Road, Pwllheli, tybed, y cofnodwyd ei henw a'i chyfeiriad gan C.P. yng nghefn y dyddiadur?]. Llanbedr, John Elis. Aber, T. H. Parry-Williams. Penfro (Abergwaen), D.J. Cei, Iorwerth. Llandysul, Fanw a John. Tenby, Glyn a Freda.

143

Ond tua chanol Ionawr, 1967, daeth cwmwl i dywyllu ffurfafen y Tŷ Gwyn pan gafodd Mattie archwiliad yn y Royal Northern Hospital yn Llundain a chael ei bod yn dioddef o ganser ar y fron. Cafodd lawdriniaeth ddydd Llun, Ionawr 29 a bu yn yr ysbyty tan Chwefror 15. Pan ddychwelodd i'r Tŷ Gwyn, fe gafodd (yn ôl cofnod yn nyddiadur Caradog) 'Great berserk welcome from Benjy'. Bu'r llaw-driniaeth yn llwyddiant ac ni ddychwelodd y canser.

Bu canlyniad arall o bwys mawr i lawdriniaeth Mattie – dyma pryd y rhoes Caradog y gorau i yfed alcohol yn gyfan gwbl fwy neu lai – a hynny, mae'n debyg, er mwyn Mattie. Yn ei flynyddoedd olaf un, cymerai Caradog wydraid neu ddau o lagyr bob hyn a hyn ond ni chymerai at ei flas (gweler y cofnod isod o'i ddyddiadur yn 1978) ac ni fu'n feddw fyth ar ôl 1967.

Ddydd Mawrth, Awst 6, 1968, mae Caradog, Mattie a Mari yn bresennol yn seremoni coroni Haydn Lewis yn Eisteddfod Genedlaethol y Barri, a Charadog, a alwasai feirdd yr Orsedd yn 'asynnod' yn 1927, bellach yn rhodio'n falch yn ei wisg wen. 'It was so pleasant,' meddai wrth gofnodi'r hanes yn ei ddyddiadur, ond un peth oedd bod yn aelod cyffredin o'r orsedd, rhywbeth hollol wahanol – a chwbl annerbyniol – oedd breuddwyd ei wraig a'i ferch ar ei ran: 'M & M want me to be Archdruid. Not bloody likely!' Mae'n ddiddorol nodi mai yn Eisteddfod Genedlaethol Llanelli yn 1930 yr ymunodd Caradog Prichard â'r Orsedd ac adroddwyd hanes hynny gan E. Prosser Rhys mewn erthygl yn dwyn y teitl 'Credaf yng Ngorsedd y Beirdd' yn rhifyn cyntaf *Y Ford Gron*, Tachwedd 1930: '. . . penderfynodd Caradog Prichard a minnau ofyn i awdurdodau'r Orsedd ein derbyn ni'n aelodau. Derbyniwyd ni'n garedig, ac fe'n hurddwyd drannoeth mewn ffordd fonheddig a chwrtais anghyffredin gan Bedrog.'

Yn Awst 1968, hefyd, y gwelodd Awen 'o bentre Bethel' am y tro cyntaf ers dros ddeugain mlynedd. Cofnododd hynny yn ei ddyddiadur (ynghyd â chyfeiriad Awen – 50 Bryn Meurig, Pensarn, Caerfyrddin – ar un o'r tudalennau cefn), gan ychwanegu: 'Cymaint i'w ddweud ond rhaid claearu ac ymatal.'

Ym mis Tachwedd 1968, a Charadog yn 63 oed, safodd etholiad i fod yn 'Professor of Poetry' ym Mhrifysgol Rhydychen – 'rhywbeth a ddechreuodd fel tipyn bach o hwyl', meddai wrth gael ei gyfweld gan Emyr Jenkins ar raglen deledu. Mari, a oedd yn fyfyriwr yn Rhydychen ar y pryd, a hyrwyddodd ei ymgyrch a theithiodd llond bws o'i chefnogwyr – yn cynnwys ei gydweithwyr ar y *Daily Telegraph* – o Lundain i Rydychen i gael eu croesawu gan Mari yn canu alawon Cymreig ar y delyn.

Y dystiolaeth orau gefais i o gefnogaeth bersonol y *Telegraph* oedd pan gefais y syniad o sefyll fel un o'r ymgeiswyr am y Gadair Farddoniaeth yn Rhydychen. Yma eto roedd fy niffyg hunanhyder am fy rhwystro, ac nid diffyg cefnogaeth cydweithwyr yn *Fleet Street* a barodd na chefais ddigon o

Caradog cyn etholiad y 'Professor of Poetry' ym Mhrifysgol Rhydychen, a Mari wrth y delyn

bleidleisiau i chwifio baner Cymru ar Barnasws Athen Lloegr. Daeth llond coits fawr o raddedigion a weithiai fel newyddiaduron i roddi eu pleidlais bersonol i mi. Roedd y breuddwyd yn un hyfryd iawn, sef cael Rhydychen yn fath o ganolfan i fynd o gwmpas colegau Cymru i ddarlithio ar farddoniaeth. Ond tila iawn, fel y disgwyliwn, oedd yr ymateb o Gymru. Yn un peth, personiaid heb fedru fforddio'r costau teithio i Rydychen oedd y rhan fwyaf o'r graddedigion â phleidlais ganddynt. Roedd eu cymdeithas yn cynnal eu cinio blynyddol yng Nghaerdydd wythnos cyn yr etholiad ac anfonais deligram yn Lladin iddynt – ond i ddim pwrpas. Yr unig ymateb o Gymru, ar wahân i gefnogaeth Cymro selog neu ddau, oedd crechwen slei fy hen gyfaill, Golygydd y *Faner*, yn ei golofn 'Ledled Cymru'. Ond aeth y *Telegraph* allan o'i ffordd i roddi pob cefnogaeth imi. Ac, wrth gwrs, roedd yn stori dda hefyd!

O'r 11 o ymgeiswyr, Roy Fuller a enillodd efo 385 o bleidleisiau ac ni chafodd Caradog Prichard druan ond 29.

Profiadau Cymysg y Saith Degau

Yn ei ddyddiadur ar gyfer dydd Iau, Chwefror 11, 1971, cofnoda: '24 mlynedd i heddiw y dechreuais weithio ar y DT' ac yna, union fis yn ddiweddarach, cawn: 'Darlith Bethesda. Festri Jerusalem. 7pm. Symud o'r festri i stafell fwy gan gymaint y cynulliad. Ond darlith dila iawn'.

Capel Jerusalem, lle'r oedd William Pritchard, taid Caradog ar ochr ei dad, yn aelod selog a ffyddlon, a lle traddododd Caradog ei ddarlith yn 1971

Cofiaf iddo gyrraedd y fynedfa i Festri Isaf Capel Jerusalem, a minnau'n sefyll yno ac yn ei gyfarch, funudau cyn iddo ddechrau traddodi ei anerchiad. Ac meddai'n ffwndrus bron: 'Be' dd'weda' i, 'dwch?' Credaf ei fod yn hollol ddiffuant – *doedd* ganddo ddim syniad beth fyddai trefn na chynnwys Darlith Llyfrgell Bethesda 1971. Baglodd ei ffordd yn fyngus ac ansicr o un atgof digyswllt i un arall, gan fwydro'n ddigyfeiriad ac ymddiheurol am oddeutu hanner can munud – 'ffwndro a rwdlian', fel y dywedodd ef ei hun wrth adrodd yr hanes mewn ysgrif yn *Yr Herald Cymraeg* (Ebrill 14, 1971). A chawn ein hatgoffa o'i gyffes ar y pen hwn yn *Afal Drwg Adda*: 'Y gwir yw na bu gennyf erioed galon nac ewyllys na dawn i siarad ar goedd'. Ond pan gyhoeddwyd y ddarlith, dan y teitl *Y Rhai Addfwyn* (Llyfrgell Sir Gaernarfon, 1971), byddem ni, gynulleidfa noson y ddarlith, wedi haeru ein bod yn darllen cyfanwaith na thraddodwyd mohono yng Nghapel Jerusalem ar Fawrth 11. (Mewn cyferbyniad, mae'n werth crybwyll yn y fan hon yr hyn a ysgrifennodd Caradog yn ei ddyddiadur ar gyfer dydd Iau, Awst 5, 1971, ar ôl iddo annerch y Cymmrodorion yn ystod yr Eisteddfod Genedlaethol ym Mangor: 'Darlith i'r Cymmrodorion, "Coronau a Chadeiriau". Fy ngorau hyd yma!')

Thomas Morris, sef 'Wili Robaits Gôl'

Yn briodol iawn, y gŵr a ddewiswyd i ddiolch i Garadog ar noson y ddarlith ym Methesda oedd yr Henadur Thomas Morris, sef Wili Robaits Gôl yn y gêm bêl-droed enwog honno yn *Un Nos Ola Leuad*.

Seiliwyd tîm y Celts yn y nofel ar dîm lleol yn Nyffryn Ogwen o'r enw y 'Bethesda Comrades' a Thomas Morris oedd yn chwarae yn y gôl i'r tîm hwnnw.

Tîm Pêl-droed y Bethesda Comrades

Pan ddaeth i Fethesda i draddodi ei ddarlith, manteisiodd ar y cyfle i alw yn Llwyn Onn, lle ganed ef. Cafodd groeso twymgalon gan Catherine a Goronwy Evans, rhieni'r Prifardd Ieuan Wyn (yntau hefyd wedi ei fagu yn yr un tŷ). Gadawodd nodyn byr a'i lofnod gyda'r teulu i goffáu'r ymweliad.

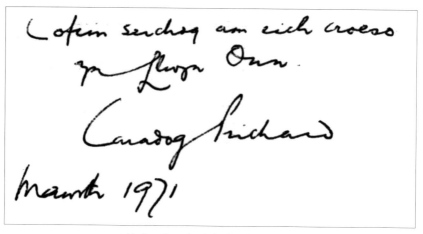

Nodyn Caradog i deulu Llwyn Onn

Tua dechrau'r 1970au y deuthum i i adnabod Caradog Prichard a byddai ef a Mattie'n galw yn fy nghartref ym Methesda pan ddeuent i aros i'r ardal, ond mwy am hynny yn y man. Weithiau byddent yn aros yn un o'r gwestai ar y Stryd Fawr – y 'Llangollen' neu'r 'Victoria' gan amlaf – ond arhosent hefyd o bryd i'w gilydd

Y 'Victoria' a'r 'Llangollen' ar ochr chwith Stryd Fawr Bethesda

Wil a Gwladys Parry

yn Bro Dawel, cartref Wil a Gwladys Parry yn y Gerlan, dafliad carreg oddi wrth y cwt glo yn 4 Long Street.

Buasai Wil Parry yn arweinydd Côr Plant Dyffryn Ogwen a'r Cylch am flynyddoedd lawer a choffeir hynny yn yr englyn o waith Caradog sydd ar ei garreg fedd ym Mynwent Coetmor:

> Wele'r annwyl arweinydd – heb ei gôr,
> Heb ei gân a'i chynnydd;
> Yn y gosteg digystudd
> Gorwedd dawn y gerdd a'i dydd.

Bedd Wil a Gwladys Parry

Wrth ddyfynnu'r englyn coffa uchod o waith Caradog, mae'n rhyfedd nodi mai dim ond un englyn arall o'i waith, hyd y gwyddys, sydd i'w weld ym mynwentydd niferus Dyffryn Ogwen, sef yr englyn (yn yr un fynwent) ar fedd Hugh Pritchard, 4 Ffordd Gerlan, a fu farw yn 1943:

> I Amerig y moriodd – croesau bach
> Cwrs y byd a gariodd;
> I'w Walia wen dychwelodd
> Tua'r hwyr, ac adre trodd.

Yn 1971, roedd Caradog yn un o feirniaid y Goron yn Eisteddfod Genedlaethol Bangor a'r Cylch (ynghyd â T. Glynne Davies ac Euros Bowen) ac uwchben ei ddigon o fod yn ôl yn ei hoff Ddyffryn Ogwen.

Erbyn y cyfnod hwn, roedd Caradog a minnau'n llythyru'n ysbeidiol â'n gilydd ac yn cael ambell sgwrs ddiddorol ar y ffôn. Byddwn hefyd yn ei gyfarfod ef a Mattie ar faes yr Eisteddfod ac yn cael 'gwahoddiad' i Babell y Wasg lle byddai Caradog yn eistedd yn ei gornel yn smocio fel trwpar a theipio copi ar ôl copi o newyddion blasus y Brifwyl i'r *Daily Telegraph* (ac i bapurau eraill, hefyd, o ran hynny). Mattie fyddai'n ffureta am newyddion ac yn hel clecs yma ac acw ar y Maes i'w cludo'n ôl i Garadog. Mae gan sawl newyddiadurwr a ffoto-graffydd atgofion di-rif dros y blynyddoedd am Garadog a Mattie – a Benji'r ci – ym Mhabell y Wasg – pobl fel Dyfed Evans, Dafydd Norman Jones, Ioan Mai, Gwyn Roberts, Iorwerth Roberts, Emyr Williams, ac eraill. Un oedd yn ei adnabod yn arbennig o dda oedd y cawr newyddiadurol hwnnw, John Roberts Williams. Yn un o'i sgyrsiau radio, a gyhoeddwyd yn y gyfrol *Dros fy Sbectol* (Penygroes, 1984), mae gan John hanesyn difyr iawn:

> Yn ffau'r wasg yn y Brifwyl 'roedd y gohebwyr ifainc yn methu â chredu bod gan y gŵr swil, distaw, a smociai'n ddi-stop yn ei gornel, ddychymyg ac athrylith bardd a llenor. Mi fyddai Mati, ei briod, bob amser wrth ei ochr; ac mae gan Mati glust cyn feined â'r gorau o newyddiadurwyr Llun-dain. Mi dynnais i lawer yng nghoes y ddau am fod y ci efo nhw yn ffau'r Wasg, a hynny o 'Steddfod Llanelli hyd y llynedd! Mi fu'r cyntaf o'r cŵn, Benji, farw o henaint ac 'rydw i'n cofio un cwpled o gywydd marwnad anystyriol a wnes i iddo fo –
>
> > Daeth pen ar einioes Benji,
> > Heddiw'n gorff a ddoe yn gi

Ac fe ddaeth Wili i gymryd lle Benji ond mwy am hynny yn y man.

Ym mis Chwefror 1972, derbyniais lythyr diddorol oddi wrth Garadog Prichard yn sôn am ei fwriad i gymryd rhan mewn rhaglen deledu ym mis Ebrill. Cyfyd hanes ei dad:

Credaf mai yn y cofnodion a welais gennych chi y cefais y wybodaeth mai ar Bonc Fitzroy y lladdwyd fy nhad. A chyn trefnu dim, mi hoffwn wybod a yw Ponc Fitzroy ar gael heddiw, ac a yw'n bosib mynd ar y bonc honno i ffilmio. Byddwn yn ddiolchgar am y wybodaeth yma fel cychwyn, ac a yw'n bosibl dod o hyd i hanes y cwest yn rhywle. Hoffwn hefyd gael unrhyw ystadegau y gellwch eu rhoddi am y nifer a laddwyd yn y Chwarel, etc.

Yr hyn sydd o ddiddordeb arbennig i mi yw hanes y Bradwyr adeg y Streic. A oes rhyw ffynhonnell y gallwn fynd ati am fanylion yr hanes hwnnw?

Oedd, roedd yr hen bryderon yn dal ym mlaen ei feddwl hyd y diwedd.

Bu 1972 yn flwyddyn o ddigwyddiadau cymysg yn ei hanes. Ar Ionawr 13, 1972, cafodd wybod y dylai gael llawdriniaeth ar dyfiant canseraidd yn ei wddw a hynny o fewn chwe wythnos. Bu'n rhaid iddo aros, fodd bynnag, tan Fai 12 i gael y llawdriniaeth honno ac fe ddilynwyd hynny gan driniaeth radiotherapi dros gyfnod o rai wythnosau. Mae'n adrodd yr hanes yn bur fanwl yn *Afal Drwg Adda* (tt.7-9, 191-193).

Er gwaethaf yr oedi cyn y driniaeth, roedd llygedyn o'r hen hiwmor yn dal mewn ambell gofnod yn ei ddyddiadur – er enghraifft:

Chwefror 6:   Penderfynu tyfu barf
Chwefror 7:   Siafio!

Y Brodor yn dod 'nôl i'w Baradwys

Erbyn hyn, roedd ymddeol ar y gorwel a'r syniad o chwilio am dŷ yn Nyffryn Ogwen yn dechrau ymffurfio'n bosibilrwydd real ac ymarferol iawn yn ei feddwl. Bu mannau eraill dan led-ystyriaeth, hefyd – megis Deiniolen (a chofiaf fynd â Charadog a Mattie o gwmpas yr ardal honno yn y car i chwilio am eiddo ar werth) – ond, mewn gwirionedd, credaf fod tynfa ei hen ardal yn rhy gryf i ddenu Caradog i unman arall. Ei freuddwyd, onid ei fwriad, oedd symud i fyw'n barhaol ym mro ei febyd a thaerach fyth yr awydd hwnnw pan gafwyd hyd i'r mans wrth droed y mynydd.

Mae'n sicr fod cael gwybod am y llawdriniaeth arfaethedig a'r disgwyl i hynny ddigwydd wedi mynd â pheth o'r sglein oddi ar y neges ffôn a gafodd ar Fawrth 22, 1972, yn rhoi gwybod iddo fod ei gais wedi'i ganiatâu i gael tenantiaeth Bryn Awel, Llanllechid, Bethesda, ond roedd ei ymateb yn un gwerthfawrogol a gobeithiol: 'Ardderchog! Chwarae teg iddyn nhw.'

Tŷ Gweinidog Capel Peniel (MC), Llanllechid, oedd Bryn Awel, tŷ a fuasai'n wag ers tro nes i Garadog a Mattie roi eu bryd arno. William John Evans, Ysgrifennydd y Capel ac un o'r blaenoriaid ffyddlon, oedd cyswllt Caradog wrth drafod ei denantiaeth a daeth y ddau'n ffrindiau garw maes o law.

Capel Peniel, Llanllechid, a Bryn Awel ar y chwith

Mae'n werth dyfynnu cywydd 'Bryn Awel' a gynhwyswyd yn *Cerddi Caradog Prichard – Y Casgliad Cyflawn*:

BRYN AWEL
Cywydd gofyn am Dŷ'r Gweinidog ym Mheniel,
Llanllechid, Mawrth 1972

Frodyr y Llan hyfrydol,
Hen gâr ei daear a'i dôl
A fyn i'w rudd hyfwyn wrid
Lle iachus fel Llanllechid;
Tŷ a gardd lle bo teg wynt
I hwylio'r byd a'i helynt;
Nid tŷ haf, ond tŷ i hel
Hud hynafiaid at nofel;
Aelwyd lon yn henwlad loes
Rhai y bu arw eu berroes,
Y man a dry, ym Mheniel,
Fis Mai drachefn yn fis mêl;
Tŷ ar rent a fyn, tŷ rhad,
Diwael hyd ymadawiad.

Ond pam sŵn am gŵn mewn gwâl
Mor ddifyr, mor ddihafal?
Treio gwneud Tŷ'r Gweinidog
Yn dwll yw dwedyd: 'Dim Dog',
A gwaharddiad mwy gorddwl
I dwymo bardd na 'Dim Bull'.
Frodyr, rhowch im hyfrydwch
Y Llan hyd pan elwy'n llwch.

Ac mae'r ôl-nodiad i'r gerdd yr un mor ddiddorol:

Cais mwy rhyddieithol a anfonwyd am y tŷ, a bu'n llwyddiannus. Ond hyd yma (Mawrth 1972) rhwystrwyd ni gan waeledd rhag symud iddo'n gyfan gwbl. Rhesymol, o ystyried agosrwydd y tŷ at y capel, oedd gwaharddiad ar gŵn a cholomennod. Ond fel y sylwodd un o'r blaenoriaid, fy nghyfaill, Mr W. J. Evans, 'mae cŵn a chŵn'. A chafodd Ben, ein ci bach ni, fynediad helaeth i mewn. Peidiodd y 'Bull' â bod yn dŷ tafarn ers rhai blynyddoedd bellach.

Mae'n rhaid ymhelaethu ychydig yma ar hanes Ben (neu Benji). Benji oedd y 'pwdl Eisteddfodol' gan iddo fod yn bresennol ym mhob Eisteddfod Genedlaethol yn ystod deunaw mlynedd ei fywyd.

Benji, Caradog, Mattie a Mari

Carreg fedd Benji

Enw gwreiddiol Benji oedd Orlando, 'pwdl o uchel dras', ys dywedodd Caradog; ail-fedyddiwyd ef yn 'Benjamin' pan gafwyd ei fod yr ieuengaf o ddeuddeg o frodyr. Roedd Caradog a Mattie yn meddwl y byd o'r hen bwdl bach (na fyddai'n swil o hongian gerfydd ei ddannedd wrth goes ambell newyddiadurwr ym Mhabell y Wasg yn yr Eisteddfod Gened-laethol). Pan fu farw Benji, claddwyd ef ('gan glamp o Wyddel ffeind,' meddai Caradog) yng nghornel gardd gefn y Tŷ Gwyn dan lechen las o Ddyffryn Ogwen ac arni: 'Benji. 18 years.'

Mewn erthygl yn y *North Wales Weekly News*, Gorffennaf 17, 1975, mae Caradog yn cyfeirio at y newydd-ddyfodiad a ddaeth i gymryd lle Benji (y crybwyllwyd ei farw ganddo mewn colofn flaenorol) ar yr aelwyd yn St John's Wood.

> . . . Choeliech chi byth y drafferth a gefais yn teipio hyn o eiriau. Yn un peth fe ddyrysodd y teipreitar a bu'n rhaid imi ddefnyddio teipiadur arall i orffen y llith. A'r hwn sydd i'w feio am hyn oll yw William, y cyw bach o bwdl chwech wythnos oed y bu'n rhaid imi ei warchod trwy'r dydd. Mae'n amlwg ei fod wedi bod yn treio'i bawen ar y teipiadur. Chwi gofiwch imi gofnodi ymadawiad Benjamin yr wythnos o'r blaen yn yr oedran teg (i gi) o ddeunaw mlynedd. Mae'n rhaid imi fod yn onest a dweud imi golli mwy nag un deigryn o hiraeth am un fu'n rhan bwysig o'r teulu mor hir. Anodd iawn yw rhoi trefn ar feddwl tra bo'r cyw chwech wythnos yn ceisio'n lân ddatod careiau fy esgidiau. Ond os bu ci bach yn iach ei feddwl erioed, William yw hwnnw. Gobeithiwn y bydd wedi ei hyfforddi'n ddigon da i ni fedru cael digon o hyder i fynd ag ef i'w Eisteddfod gyntaf yng Nghricieth y mis nesaf. Ac os nad yw'n ddigon o gi i fedru teipio, gobeithiwn y bydd yn uno mor frwdfrydig â'i ragflaenydd pan fydd y beirdd yn gweiddi 'Heddwch'.

Do, fe ddaeth pwdl arall i gymryd lle Benji. Yn ei ddyddiadur ar gyfer dydd Mawrth, Mai 20, 1975, mae Caradog yn cofnodi geni Wili ar y diwrnod hwnnw ac fe ddilynir hynny gan dri chofnod byr arall:

Gorff 15   Wili's worm tablet
Gorff 22   Willie 9 weeks old.
Gorff 29   Wili's worm pill

Ie, dyma Wili, y 'pwdl brathgar', fel y byddwn i'n ei alw (ond nid yng ngŵydd Caradog na Mattie!). Cofiaf amdano'n dda. Ysgyrnygai'n fygythiol eiliadau cyn suddo'i ddannedd i mewn i aelod diamddiffyn o'r corff – cofiaf ef yn brathu llaw Caradog yn bur giaidd un adeg ac yn tynnu gwaed fel lli'r afon o goes Mattie dro arall pan oeddem yn ymweld â Kenwood House yn Llundain. Ond roedd *un* ffordd i'w dawelu a'i rwystro rhag hau ei ddannedd lle nad oedd croeso iddyn nhw. Un tro, a minnau wedi galw yn y Tŷ Gwyn, daeth Wili i'r ystafell lle'r oeddwn yn mwynhau sgwrs gyda Charadog a Mattie, a dangosodd ei anghroeso'n syth. Ysgyrnygodd ei ddannedd yn ffyrnig, plannodd ei lygaid arnaf a chymerodd ystum llewpart yn paratoi i lanio ar ei ysglyfaeth! Ond, wrth lwc, roedd Caradog a Mattie wrth y llyw ac wedi adnabod yr arwyddion mewn da bryd. Roedd y ddau bron cyn gynted â'i gilydd yn ymestyn am jwg pigfain yn llawn o ddŵr. Caradog a'i cyrhaeddodd gyntaf a'i ddal uwchben Wili gan lefaru 'Dŵ-ŵr, dŵ-ŵr' drosodd a throsodd nes i'r hen Wili gilio'n araf, ond yn bur anfoddog, dan gadair gyferbyn â mi. Ni pheidiodd â syllu arnaf, gan fynnu f'atgoffa o'i bresenoldeb gwyliadwrus gydag ambell 'sgyrnygiad bob hyn a hyn – ond roedd y jwg dŵr *gen i* erbyn hynny a chefais lonydd drwy weddill f'arhosiad. Hynny yw, nes daeth yn amser i mi ffarwelio wrth ddrws ffrynt y Tŷ Gwyn. Am ryw ryfedd reswm, er cymaint ei hoffter o godi ofn ar gryf a gwan fel ei gilydd, ni fynnai i neb *adael* y tŷ. Safodd yn herfeiddiol ar ben y rhes o risiau y tu allan i'r drws ffrynt a gwyddwn, heb ofyn, beth oedd ei fwriad. 'Gwrandwch,' meddai Caradog, gan estyn bocs enfawr o hen 'sgidiau o'r cyntedd, 'Lluchiwch y 'sgidia' 'ma cyn belled ag y gellwch chi i ben draw'r ardd, a thra bydd Wili'n mynd ar eu hola' nhw, rhedwch chitha' fel diawl i lawr y grisia', ar hyd y llwybr ac allan drwy'r ddôr!' Wedi i Wili ddod yn ôl yn rhy gyflym sawl gwaith, llwyddais i daflu un esgid yn ddigon pell i mi allu dianc am fy mywyd. A ffarweliais â theulu'r Tŷ Gwyn o ochr arall, ddiogelach, wal derfyn yr ardd.

Yn eironig ddigon, cafodd Wili ddiwedd pur ddramatig – bu farw ar ôl i rywun dorri i mewn i'r Tŷ Gwyn a chodi cymaint o ddychryn arno nes iddo gael trawiad ar ei galon a marw yn y fan.

Caradog Prichard a Wili yng ngardd
y Tŷ Gwyn yn 1979

156

Roedd Caradog wedi ein gadael cyn i Wili gyfarfod â'i goncwerwr olaf a chafodd Mattie bwdl bach arall, ifanc, a'i alw'n Nico. Goroesodd ef ei feistres a bu'n rhaid dod o hyd i gartref newydd iddo.

Ond yn ôl i 1972 a Llanllechid. Rhwng diwedd mis Mawrth a dechrau Mai, bu Caradog a Mattie'n hynod brysur yn darparu ar gyfer cael Bryn Awel yn barod iddynt allu dod yno i aros. 'Roeddwn wedi arfaethu symud yma'n gyfan gwbl ac ymsefydlu yn yr hen fro,' meddai yn *Afal Drwg Adda* (t.194) ac er gwaethaf y llawdriniaeth oedd yn fygythiol agos ac yn drysu ei gynlluniau, roedd yn llawn brwdfrydedd: 'rwy'n gobeithio cael treulio llawer o'm hamser yma, gan fy mod yn teimlo rhyw rin iachusol yn awyr yr hen ardal ac yn cynhesu yng nghroeso a chymdeithasgarwch ei phobol. Fy mhobol i!'

Ac yntau'n ymddeol o'i swydd ar y *Daily Telegraph* ddechrau Mai 1972, cynhaliwyd cyfarfod ffarwel i Garadog yn Swyddfa'r *Telegraph*. Rhoes sylw arbennig i un peth a arhosodd yn fyw yn ei gof mewn perthynas â'r cyfarfod hwnnw:

> . . . pleser digymysg i mi . . . oedd clywed cyd-aelod o'r staff, W. F. Deedes, A.S., yn ei araith 'angladdol', huodl, yn defnyddio'r geiriau 'gydag anrhydedd' wrth sôn am fy ngwaith ar y papur.

Cyfarfod ffarwel i Garadog yn y Daily Telegraph

Yn syth ar ôl y cyfarfod hwnnw, aeth Caradog i'r ysbyty i gael llawdriniaeth. 'Ac os dof i'r lan mi ddof i'r Llan yn fuan eto,' meddai mewn llythyr ataf, dydd-iedig Mai 8, 1972 (ac fe amgaeodd gyda'r llythyr hwnnw gopi o adargraffiad, wedi'i lofnodi ganddo, o *Coronau a Chadeiriau*). Ac fe ddaeth i'r lan a gwella'n bur dda.

Llythyr Caradog at yr awdur cyn mynd i'r ysbyty yn Llundain

Ddydd Sul, Medi 10, 1972, derbyniodd Caradog delegram oddi wrth Mary, ei chwaer-yng-nghyfraith, yn dweud bod ei frawd, Howell, wedi marw 'yn ddisyfyd yn oriau mân bore Sadwrn, Medi 9.'

Howell, brawd Caradog, a'i wraig, Mary

Wedi cyrraedd y cartref, sef 34 Parsonage Street, Walkley, Sheffield, i fod yn bresennol yn angladd ei frawd, caiff Caradog sioc fach ddigon annisgwyl: 'Cerddodd gŵr tawel o'r ystafell gefn, a thybiais am ennyd imi weld drychiolaeth Howell. Nage. Alan, ei unig fab; a'r Sadwrn y bu farw ei dad, roedd ei ben-blwydd yntau yn 45 oed. A dyna'r tro cynta erioed i mi daro llygaid arno.' Claddwyd Howell yn Laxley, pentref bach ryw dair milltir o Walkley, lle byddai Howell wrth ei fodd yn mynd am dro. Yng nghanol tristwch yr achlysur, cafodd Caradog dawelwch meddwl rhyfeddol:

Gwasanaeth byr, di-emyn, gweddïau Saesneg gan weinidog tyner ei lais, distawrwydd, ac yna taith arall i ben y fynwent at y bedd a'r ffarwel olaf.

Yna codais fy ngolygon ac edrych o'm cwmpas, a chael syndod mwyaf a rhyfeddaf y dydd. Safem ar lechwedd dyffryn gwyrdd a gallwn dyngu fy mod yn edrych ar Ddyffryn Ogwen o'r hen gartref lle magwyd ni. A daeth rhyw don o lawenydd i ddileu pob hiraeth a thrymder.

Roedd Howell wedi dod adref mor sicr â phe bai wedi ei roddi i orffwys ym mynwent y Llan gartref. Tawelodd pob cynnwrf ynof a bu'r daith yn ôl yn y trên yn ollyngdod braf . . .

Ychydig ar ôl hyn, galwodd Caradog a Mattie acw ryw gyda'r nos a phwy alwodd yr un pryd ond y Parchedig Elis Aethwy, a oedd newydd ymddeol o'i swydd yn athro Addysg Grefyddol yn un o ysgolion cyfun Llundain.

Roedd Elis yn ddigon digalon ei fyd am na allai ddod o hyd i unrhyw eiddo addas dan rent yng nghyffiniau glannau'r Fenai a'r ardaloedd cyfagos. Daeth Mattie i'r adwy ar unwaith: 'Mae 'da ni le, yn does, Caradog. Mi gewch chi ddod i aros aton ni i Bryn Awel, yn ceith, Caradog.' Ac felly, gyda chydsyniad tawel

159

Caradog, fe seliwyd y fargen yn y fan a'r lle ac fe ddaeth 'Elis y Prydydd', fel y galwai Caradog ef, yn is-denant Bryn Awel. Mae'n deg dweud nad oedd Elis yr hawsaf yn y byd i rannu aelwyd ag ef ac ni fu'r 'briodas' yn un gwbl gymharus; byddai Elis a Mattie'n gwrthdaro'n bur gyson a doedd pethau ddim yn fêl i gyd rhwng Caradog ac Elis 'chwaith.

Ym mis Hydref 1972, cynhaliwyd Cymanfa Ganu'r Diwygiad yng Nghapel Peniel, Llanllechid. Syniad Mattie oedd hyn a thrwy'i chysylltiadau yn Llun-dain, llwyddodd i ennyn diddordeb Cwmni Recordio Decca yn y fenter a gwnaed record hir i ddathlu'r achlysur. Y Parchedig William Morris a ddewisodd yr emynau o blith y rhai a oedd yn boblogaidd adeg Diwygiad 1904, a chyda'i blaengaredd arferol, sicr-

Elis Aethwy

haodd Mattie wasanaeth yr arweinydd enwog, Dr Terry James, ynghyd â Chôr Meibion y Penrhyn a Seindorf Arian Deiniolen. Yn dilyn y Gymanfa, roedd Mattie wedi trefnu parti yn y mans a chofiaf y diodydd a'r gwirodydd yn llifo ond Caradog wedi encilio i'w gadair yn y gornel yn yfed panad ar ôl panad o de ac yn smocio fel stemar!

Yn 1973, cyhoeddodd Caradog *Afal Drwg Adda – Hunangofiant Methiant*. Cawn ganddo hunangofiant gonest a thrawiadol, heb unrhyw ymgais i gelu na chuddio, i feddalu na glastwreiddio unrhyw ddigwyddiad, a thenau ryfeddol yw'r gôt o siwgwr am bob pilsen anfelys.

Byddwn yn galw draw yn Llanllechid o bryd i'w gilydd a chael sgyrsiau difyr yng nghwmni Caradog a Mattie. Ond cofiaf, ar un achlysur ym mis Mai 1975, i ddadl go boeth godi rhwng Caradog a minnau ar aelwyd Bryn Awel. Ym mis Hydref y flwyddyn flaenorol, roedd *Llais Ogwan*, papur bro Dyffryn Ogwen, newydd ymddangos a minnau wedi dod yn un o'r criw oedd yn ei redeg. Ni welai newyddiadurwr proffesiynol Stryd y Fflyd unrhyw ddyfodol o gwbl i bwt o bapur bro yn cael ei redeg gan griw o amaturiaid nad oedd ganddynt y syniad lleiaf am newyddiadura – a nododd enghreifftiau o ambell rifyn o'r papur i brofi pa mor ddi-glem oedden ni a pham nad oedd gobaith i'r fenter lwyddo. Er i mi ddadlau'n daer dros sefydlu *Llais Ogwan* a darogan parhad iddo am flynyddoedd i ddod, roedd Caradog yn ddiysgog ei feirniadaeth. Ond ar ôl 'cyrraedd Llundain am hanner nos wedi siwrnai hunllefus,' un o'r pethau cyntaf a wnaeth Caradog oedd ysgrifennu ataf a dweud: 'Ni ddylwn fod wedi beirniadu *Llais Ogwan* fel y gwnes i. Siarad fel newyddiadurwr scitsoffrenig yr oeddwn!' Ys gwn i beth dd'wedai heddiw, ddeng mlynedd ar hugain yn ddiweddarach, pe gwyddai fod *Llais Ogwan* yn dal i fynd!

Humphrey

Roeddwn i, fel llawer un arall, wedi fy siomi'n arw pan glywais gan Garadog ei fod yn bwriadu ildio tenantiaeth Bryn Awel. Roedd y rhesymau'n gwbl amlwg, wrth gwrs – roedd cyflwr ei iechyd yn graddol waethygu a'r teithio yn ôl a blaen o Lundain yn dechrau mynd yn drech nag ef. Yn ogystal â hynny, roedd diffyg gwresogi Bryn Awel yn gyson a phriodol (ac Elis Aethwy wedi symud oddi yno erbyn hynny) wedi peri bod y tŷ'n oer a llaith iawn bob amser. Yn wir, hyd yn oed cyn i Elis symud i 42 Braichmelyn, Bethesda, roedd Caradog ac yntau wedi bod yn cwyno'n aml am y lleithder, yn gymaint felly nes i Garadog ysgrifennu englyn am Fryn Awel dan y teitl 'Pneumonia Manor', a'i gynnwys mewn llythyr at Elis Aethwy, wedi iddo gael annwyd trwm yno yn ystod tywydd garw'r gaeaf.

> Rhag pla Pneumonia Manor – a hir hun
> Yng ngro mynwent Coetmor,
> Dy ddau was gwared, Dduw Iôr,
> Moes ryw ugain mis rhagor!

Yn ystod cyfnod cynnar y gwibdeithio rhwng Llundain a Llanllechid, roedd Mari, merch Caradog a Mattie, yn canlyn yn selog gyda bachgen ifanc o'r enw Humphrey Carpenter, mab Dr Harry Carpenter, Esgob Rhydychen. Cofia Caradog roi sêl ei fendith i Humphrey pan ofynnodd am law Mari, ac meddai yn *Afal Drwg Adda* (t.202):

> Mari, yr hogan fach ryfeddol! Cofiais am y breuddwyd hwnnw ar y Cei yng Nghaernarfon ers talwm, y breuddwyd am y Gwir Barchedig Caradog Prichard. Os na chafodd fod yn ferch i hwnnw, roedd am fod yn ferch yng nghyfraith i'r Gwir Barchedig Harry Carpenter, Esgob Rhydychen . . .

Priodwyd Mari a Humphrey ar Fawrth 31, 1973. Roedd tad y priodfab wedi bod yn Warden Coleg Keble yn Rhydychen am 27 mlynedd a chynhaliwyd y gwasanaeth priodas, yng ngofal Dr Carpenter ei hun, yng Nghapel y Coleg hwnnw. Gwisgai Mari'r Goron arian a enillasai ei thad yn Eisteddfod Genedlaethol Caergybi yn 1927 (ac roedd Mattie, hefyd, wedi ei gwisgo yn ei phriodas hi a Charadog yn 1933). Cofnod cryno Caradog yn ei ddyddiadur ar ddiwrnod y briodas oedd: 'Mari's Glorious Wedding to Humphrey.'

Bu Mari a Humphrey, eu dau wedi graddio mewn Saesneg yn Rhydychen, yn gweithio ar Radio Rhydychen am rai blynyddoedd ac roedd Humphrey wedi ennill enw a pharch mawr iddo'i hun fel darlledwr, awdur a bywgraffydd. Mae ei

Caradog a Mari ar eu ffordd i'r briodas

Mari a Humphrey, gyda Mattie a Charadog ar y dde,
yn cael tynnu eu lluniau ar ôl y briodas

fywgraffiadau o J. R. R. Tolkien, Spike Milligan, W. H. Auden, Benjamin Britten, a'r Archesgob Runcie, ymhlith ei weithiau mwyaf adnabyddus ac mae *The Oxford Encyclopaedia of Children's Literature* a olygwyd ar y cyd ganddo ef a Mari yn waith safonol.

Roedd Caradog yn meddwl y byd o Humphrey. Meddai amdano yn *Afal Drwg Adda* (t.193): 'Dyma'r bachgen llonnaf a bywiocaf o'r rhai a welsom yn ei chwmni hyd yma. Nid yw mor drwsiadus a hardd ei bryd â'r ffefryn a'i blaenorodd. Ond mae mwy o sbonc ynddo ac mae'n amryddawn hefyd.'

Ac roedd Humphrey yntau yn hoff iawn o'i dad-yng-nghyfraith. Wrth sôn amdano mewn anerchiad ym Methesda yn 1985, dywedodd Humphrey: 'Fo oedd un o'r bobol ddoniola' i mi ei nabod erioed. Mi fedrai ddweud jôcs gwych, a chwerthin am hydoedd, yn ddwfn, am jôcs pobol eraill, pan oeddan nhw'n rhai da.' Cofiai Humphrey iddo ffonio un noson i gael gair efo Mari, hithau wedi mynd allan gyda gŵr ifanc arall, a ddigwyddai fod yn ymgeisydd Rhyddfrydol ac yn cystadlu â Humphrey am ei llaw. Caradog yn rhoi neges i Mari am alwad ffôn Humphrey: 'Mae'r ymgeisydd Ceidwadol newydd ffonio!' Wrth sôn am natur hamddenol Caradog, meddai Humphrey: 'Pe bai rhywun yn tarfu arno, y cyfan a wnâi . . . oedd ei gau ei hun i ffwrdd oddi wrth y peth . . . 'fedra i ddim cofio'r un enghraifft ohono'n colli'i dymer. Yr hyn a gofia i ydi ei *amynedd* di-ben-draw. A'r arswyd – os maddeua Mati i mi – roedd arno fo'i angen.' Byddai'r daith o Lundain i Fethesda yn cymryd drwy'r dydd i gyd – rhyw ddeuddeng awr, yn ôl a gofiai Humphrey ac roedd un stori fach wedi aros yn fyw yn ei gof:

> 'Hwnna,' arferai Caradog 'i ddweud yn falch i gyd, 'ydi'r tŷ tafarn lle syrthis i i lawr y tair stepan ffrynt.'
>
> 'Nage, Caradog,' torrai Mati ar ei draws, 'peidiwch â bod yn wirion! Dyna'r un lle rhoddoch chi'r gwely ar dân tra oeddech chi'n cysgu a deffro yn y stryd yn ddŵr ac yn blu drosoch i gyd . . .'

Ystyriai Humphrey ei dad-yng-nghyfraith yn 'un addfwyn dros ben, anymosodol, yn mynnu ei ffordd ei hun fel plentyn weithiau ond heb unrhyw deimlad fod ar y byd ddim iddo, na'i fod ef yn neb arbennig . . .' ac ychwanegodd:

> Roedd o a Mati â synnwyr gwych o ddiffyg parch ynglŷn â'i gampau Eisteddfodol. 'Sgwn i beth fyddai ymateb y rhai a roes y Goron a'r Gadair o glywed y Goron yn cael ei disgrifio fel 'Cow & Gate' am ei bod yn gwneud i Garadog, mewn hen lun ohono'n ei gwisgo, edrych fel un o'r babanod brenhinol yn cael eu bwydo ar y stwff, neu'r Gadair . . . yn cael ei disgrifio fel *commode* am ei bod yn edrych yn union 'run fath ag un?

Bu farw Humphrey yn sydyn Ionawr 4, 2005, ychydig ddyddiau ar ôl iddo ef a Mari ddychwelyd oddi ar eu gwyliau yn Ffrainc.

PENNOD 25

Diwedd y Daith yng Nghoetmor

Yn 1979, cyhoeddwyd *Cerddi Caradog Prichard – Y Casgliad Cyflawn*. Mae'n dechrau'r Rhagair i'r gyfrol honno gyda'r geiriau a ganlyn:

> Ar gymhelliad amryw gyfeillion, a thaeraf cymhelliad Mati, fy mhriod, a Mari fy merch, – 'rŵan ydi'r amser, cyn ichi farw' – mentraf gynnig hyn o ffrwyth toreithiog y blynyddoedd a fu . . .

ac ym mis Hydref y flwyddyn honno y gwelais Garadog am y tro olaf a hynny yn y Tŷ Gwyn yn St John's Wood.

Y Tŷ Gwyn

Roedd fy nheulu a minnau wedi galw yno ar ôl clywed nad oedd Caradog yn digwydd bod yn dda. Er ei fod yn amlwg yn wael, roedd ei groeso mor gynnes ag erioed. Cawsom gyfle i dynnu ambell lun a chafodd fy nau fab hynaf, Gwyndaf a Garmon, y fraint nid yn unig o'i gyfarfod ond o gael tynnu llun gydag ef ac eistedd yng Nghadair Eisteddfod Llanelli, 1962. Gwelsom hefyd garreg fedd Benji.

164

Gwyndaf (â chleddyf ffug-gadeirio'r Daily Telegraph *yn ei law) a Garmon,*
yn sefyll wrth Gadair Llanelli yn ystafell fyw y Tŷ Gwyn

Ar ôl y cofnod yn ei ddyddiadur ddydd Sul, Gorffennaf 2, 1978: 'Gardening!
Took down forsythia by mistake. Drank 2 pints of lager. Ych!', y cofnodion nesaf
o bwys yw'r ddau a ganlyn:

Sept 27, 1978   Mari's baby girl born. 6lb 2oz. Both doing well.
Oct 2   Went to Oxford to have first sight of Mari & Humph's
                     Clare Nia. Lovely baby.

Ganed merch arall i Mari a Humphrey, sef Kate Sioned (ar Awst 25, 1981), ond ni
chafodd Caradog fyw i'w chroesawu hi i'r byd.

Ddydd Mawrth, Ionawr 9, 1979, aeth Caradog am archwiliad fel claf allanol i
Ysbyty St Bartholomew yn Llundain ond penderfynwyd ei gadw i mewn am
ragor o driniaethau. Daeth pethau'n well am ychydig ond digon bregus a gwantan

fu Caradog ar ôl hynny. Ond mae'n rhaid crybwyll ei gofnod ar gyfer dydd Gwener, Ebrill 6: 'Mattie's birthday. Gave her all my love and £25'.

Pan gafodd wybod ganol Hydref 1979 fod Mary, gweddw Howell, ei frawd, wedi marw, doedd Caradog ddim yn teimlo'n ddigon da i deithio i'w hangladd yn Sheffield. Erbyn dechrau 1980, roedd cyflwr ei iechyd wedi dirywio'n arw a bu'n rhaid mynd ag ef i'r ysbyty unwaith eto ddechrau Chwefror.

Ddydd Llun, Chwefror 25, 1980, bu farw Caradog Prichard yn Ward Rahere, Ysbyty Bartholomew, Smithfield, Llundain. Nodwyd achos ei farwolaeth fel a ganlyn: *1a. Bronchopneumonia b. Bronchial Carcinoma*. Ffoniodd Mattie ataf i ddweud y newydd trist a gofynnodd i mi drefnu'r angladd ym Methesda. Cynhaliwyd y gwasanaeth Ddydd Gŵyl Dewi yn Eglwys Glanogwen, dan ofal y ficer, y Parchedig Elwyn Roberts. Traddodwyd teyrngedau gan y Parchedig Ddr Owen, King's Cross, y Prifardd Emrys Edwards a'r Arglwydd Goronwy Roberts a darllenwyd detholiad byr o waith Caradog Prichard gan J. Elwyn Hughes.

Ac wrth ffarwelio â Charadog, roedd yn briodol cofio sut yr oedd ef ei hun wedi crynhoi ei fywyd yn *Afal Drwg Adda*:

> A dyna i chi, am wn i, batrwm fy mhererindod . . . Cymysgfa diystyr o bleser a phoen, o ddyheu ac o ddihoeni, o ddychryn ac o ddagrau, o fethiant a llwyddiant, o gymuno â'r pur ac â'r prydferth, o euogrwydd ac edifeirwch.

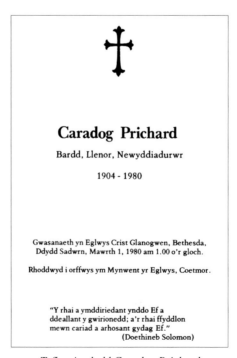

Caradog Prichard

Bardd, Llenor, Newyddiadurwr

1904 - 1980

Gwasanaeth yn Eglwys Crist Glanogwen, Bethesda,
Ddydd Sadwrn, Mawrth 1, 1980 am 1.00 o'r gloch.

Rhoddwyd i orffwys ym Mynwent yr Eglwys, Coetmor.

"Y rhai a ymddiriedant ynddo Ef a
ddeallant y gwirionedd; a'r rhai ffyddlon
mewn cariad a arhosant gydag Ef."
(Doethineb Solomon)

Taflen Angladd Caradog Prichard

166

Gwaetha'r modd, nid oedd modd gwireddu dymuniad Caradog i gael ei gladdu ym Mynwent Glanogwen, lle gorwedd ei dad a'i fam, gan fod y fynwent honno'n llawn i'r ymylon. Bu'n rhaid rhoddi ei weddillion i orffwys ym Mynwent Goffa Robertson, lle saif yr eglwys fach a berthyn i Eglwys Glanogwen. Yn y fynwent hon y claddwyd Griffith Williams, taid Caradog, a Syr Idris Foster, ac am y wal â hi, mae Mynwent Coetmor (mynwent a agorwyd gan yr Ymneilltuwyr yn 1902 ond sydd bellach dan ofal Cyngor Sir Gwynedd) lle claddwyd R. Williams Parry, J. O. Williams ac Edeila Wynne, William Griffith (Hen-barc), R. Lloyd Jones a llawer o hen gyfeillion Caradog Prichard.

Nodwyd gorweddfan Caradog i ddechrau gan groes bren a wnaed gan saer lleol, Gwyn Hughes (gyda chymorth ei fab, Gareth).

Y Groes ar fedd Caradog Prichard

Yna trefnodd Mattie i gael carreg las o Chwarel y Penrhyn ac wedi eu cerfio arni y geiriau:

CARADOG

PRICHARD

bardd

1904-1980

167

Carreg fedd Caradog Prichard

Ychwanegwyd at hyn yn 1994, pan fu farw Mattie (Medi 16, 1994):

ac hefyd ei briod

Mattie

'Mati Wyn'

1908-1994

Ddydd Iau, Ebrill 17, 1980, yn Eglwys St Bride, Stryd y Fflyd, Llundain, cyn-haliwyd gwasanaeth coffa (yn yr iaith Saesneg) i Garadog Prichard, dan arweiniad y Rheithor Dewi Morgan. Traddodwyd anerchiad gan Cliff Morgan ac offrymwyd y Fendith gan yr Esgob Harry Carpenter.

Nos Wener a dydd Sadwrn, Mehefin 28-29, 1985, trwy gydweithrediad yr Academi Gymreig a'i swyddogion, Marian Arthur a Siân Ithel, a chyda chymorth Cyngor Celfyddydau Cymru, cynhaliwyd Gŵyl Caradog Prichard yn Ysgol Dyffryn Ogwen, Bethesda. Ar y nos Wener, cafwyd portread darluniadol o ardal Dyffryn Ogwen gan J. Elwyn Hughes ac anerchiad ar y testun 'Argraffiadau' gan Humphrey Carpenter.

Humphrey gyda'i ddwy ferch, Clare a Kate, yn 1985

Traddodwyd anerchiadau cyntaf y dydd Sadwrn gan Dr Harri Pritchard Jones ar y testun 'Llenor y Chwalfa Fewnol' a chan Dafydd Glyn Jones ar 'Agweddau ar Caradog Prichard y Llenor'. Dilynwyd hynny gan John Roberts Williams, Ernest Roberts, Mattie Prichard a Mari Prichard – i gyd yn 'Cofio Caradog'. Yn y pnawn aethpwyd ar daith lenyddol drwy Fethesda a Dyffryn Ogwen yn gyffredinol dan arweiniad J. Elwyn Hughes. Roedd sesiwn yr hwyr, 'Teimlo Clwyf', yng ngofal John Ogwen a Maureen Rhys (dau sydd wedi cyflwyno perfformiadau a darlleniadau lu o weithiau Caradog Prichard ar lwyfannau ledled Cymru). Roedd arddangosfa wedi'i threfnu yn Neuadd yr Ysgol gan Siân Ithel ac Ann Ffrancon.

J. O. Jones (un o gymdogion Margaret Jane yn y Gerlan), Ernest Roberts
(un o gyfeillion bore oes Caradog) a'r llawfeddyg Owen Owen,
yng Ngŵyl Caradog Prichard, 1985

Nel Gwenallt a Mattie yn y bwffe yn y Douglas Arms

Ar derfyn yr ŵyl, roedd Mattie Prichard wedi trefnu bod bwffe ar gael i bawb yng ngwesty'r Douglas Arms, Bethesda. Daeth nifer dda at ei gilydd i gloi'r ŵyl fel hyn, gan gynnwys Gwenlyn Parry, Rhydderch Jones, Nel Gwenallt, Mari Elis, Eigra Lewis Roberts, Selyf Roberts, etc.

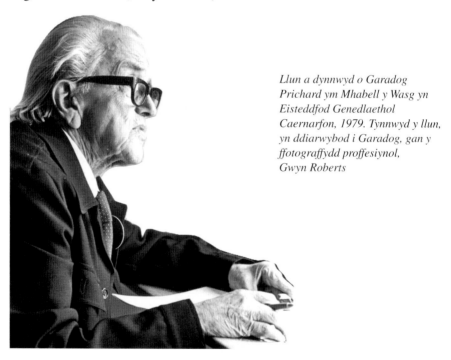

Llun a dynnwyd o Garadog Prichard ym Mhabell y Wasg yn Eisteddfod Genedlaethol Caernarfon, 1979. Tynnwyd y llun, yn ddiarwybod i Garadog, gan y ffotograffydd proffesiynol, Gwyn Roberts

Ac i gloi'r gyfrol hon, mor deilwng yw'r deyrnged a ganlyn i'r Prifardd cyntaf a aned yn Nyffryn Ogwen, Caradog Prichard, gan Brifardd diweddaraf Dyffryn Ogwen, Ieuan Wyn – a'r ddau wedi eu magu yn yr un tŷ.

CARADOG PRICHARD

gan y Prifardd Ieuan Wyn

Clywai yng ngolau'r lleuad hwyrol gri
    Wylo gwraig amddifad
    Y bu ei dydd heb ei dad
    Yn un hirnos annirnad.

Maith anobaith ei febyd a ganodd
    Yn gynnar mewn penyd,
    Ond drwy nosau beichiau'r byd
    Chwiliai lwybrau dychwelyd.

Dan oer wenlloer pob hunllef y chwiliai,
    A chael ond dioddef;
    Nos ei gri anesgor ef
    Fu dadrith dyfod adref.

Ei lef oedd ei gelfyddyd, a'i hystyr
    Ym Methesda'i adfyd;
    Ei nos yn aros o hyd,
    A'i llefain gorffwyll hefyd.

Yn euogrwydd y dagrau, yn llewyg
    Nos y lleuad olau,
    Yn labrinth yr hen lwybrau,
    Ofnau mab a fu'n ymwáu.

Rhythai'n y gwyll rith hen gam, ac oedai
    Hen gysgodion gwargam
    Nosau alaeth y Seilam
    Y cariai faich cur ei fam.

O'i danfon yn drist, ynfyd, aeth yn gaeth
    I'w gof, ac o'r ddedfryd
    Y fo yn stori'i fywyd
    Yw'r dyn sy'n hogyn o hyd.

Atodiadau

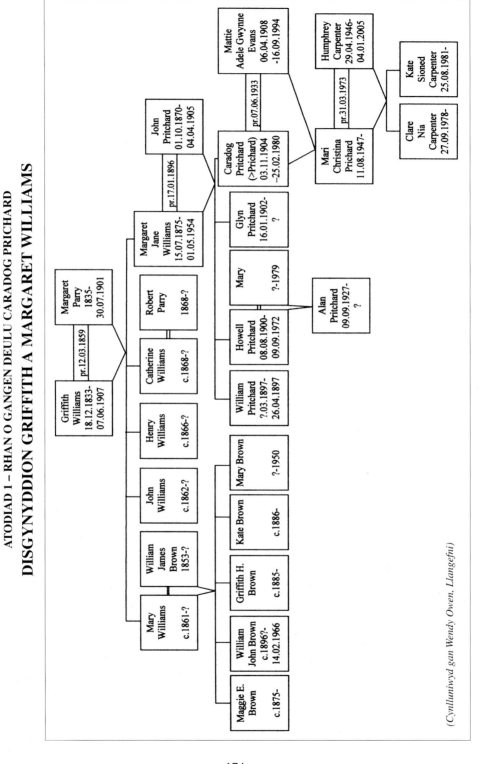

ATODIAD 1 – RHAN O GANGEN DEULU CARADOG PRICHARD
DISGYNYDDION GRIFFITH A MARGARET WILLIAMS

(Cynlluniwyd gan Wendy Owen, Llangefni)

174

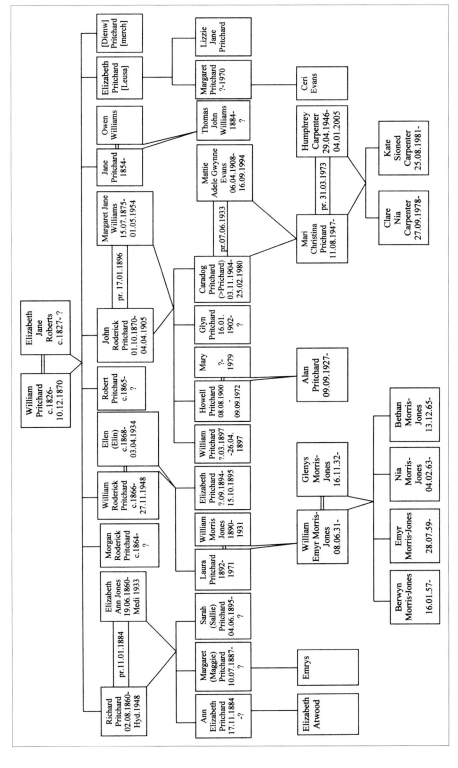

DISGYNYDDION WILLIAM AC ELIZABETH PRITCHARD

LLINELL AMSER CARADOG PRICHARD

Rhagfyr 18, 1833
Geni Griffith Williams, taid CP ar ochr ei fam, yn Llanfaes, Môn.

Tua 1835
Geni Margaret Parry, nain CP ar ochr ei fam, yn Nyffryn Ogwen.

Tua 1826
Geni William Pritchard, taid CP ar ochr ei dad, yn Llanrhychwyn.

Tua 1827
Geni Elizabeth Jane Roberts, nain CP ar ochr ei dad, ym Mhlwyf Llanllechid.

Mawrth 12, 1859
Priodas Griffith Williams a Margaret Parry.

Hydref 1, 1870
Geni John Roderick Pritchard, tad Caradog Prichard. Lladdwyd ef yn Chwarel y Penrhyn Ebrill 4, 1905.

Rhagfyr 10, 1870
William Pritchard, tad John Pritchard, a thaid Caradog, yn cael ei ladd yn Chwarel y Penrhyn, yn 44 oed. John Pritchard (ei fab a thad Caradog) yn ddau fis oed ar y pryd.

Gorffennaf 15, 1875
Geni Margaret Jane Williams, mam CP. Bu farw Mai 1, 1954.

Ionawr 17, 1896
Priodas John Roderick Pritchard a Margaret Jane Williams, rhieni CP.

1896-1897
Streic un mis ar ddeg yn Chwarel y Penrhyn.

Tua Mawrth 15, 1897
Geni plentyn i rieni CP – William. Bu farw yn 5 wythnos oed.

Ebrill 26, 1897
Marw William, mab John Roderick a Margaret Jane Pritchard.

Awst 8, 1900
Geni Howell, brawd CP.

1900-1903
Streic Fawr y Penrhyn.

Mehefin 11, 1901
500 o chwarelwyr yn mynd yn ôl i'r Chwarel a thorri'r Streic. Griffith Williams (tad Margaret Jane a thaid Caradog) a'i fab, Henry, yn eu plith.

Gorffennaf 30, 1901
Marw Margaret Williams, nain CP ar ochr ei fam, yn 66 oed.

Ionawr 16, 1902
Geni Glyn, brawd Caradog Prichard.

Tachwedd 3, 1904
Geni Caradog Prichard yn Llwyn Onn, Pen-y-Bryn, Bethesda.

1904-1905
Y Diwygiad Methodistaidd yn cyrraedd Dyffryn Ogwen.

Ebrill 4, 1905
John Prichard, tad CP, yn cael ei ladd yn Chwarel y Penrhyn yn 34 oed. CP yn 5 mis oed.

Mehefin 7, 1907
Marw Griffith Williams, taid CP ar ochr ei fam.

Ebrill 6, 1908
Geni Mattie Adele Gwynne Evans yn y Gilfach Goch.

Cyn 1909
Teulu CP wedi symud i Fryn-teg (cyn i CP fod yn 5 oed).

'Ganol gaeaf' 1909 tan Gorffennaf 1916 (CP rhwng 5 oed ac 11 ml. 8 mis)
CP yn Ysgol Glanogwen. Yna, symud i'r Church House ond pan oedd ar ei ail flwyddyn yno (yn Standard Tŵ), symud yn ôl i Ysgol Glanogwen.

Ionawr 20, 1916 (CP yn 11.2 oed)
Bob Jervis (Bob Bach Sgŵl yn *Un Nos Ola Leuad*) yn cael ei ladd yn Ffrainc yn 20 oed.

Medi 12, 1916 (CP yn 11.10 oed)
Ei dderbyn i Ysgol y Sir, Bethesda (a'i gyfeiriad: 4 Glanrafon, Bontuchaf, Bethesda).

Ebrill 6, 1918
CP yn cael ei gonffyrmio yn Eglwys St. Mair, Y Gelli, Tre'garth.

Medi 1918-Gorff 1919 (ac yntau rhwng 13.10 a 14.8)
Blwyddyn 3 yn Ysgol y Sir (1919: *Junior CWB* – Llwyddo).

Medi 1919-Gorff 1920 (CP rhwng 14.10 a 15.8)
Blwyddyn 4 yn Ysgol y Sir (1920: *Senior CWB* – Methu).

Tua 1919-1920 (pan oedd CP tua 15 oed)
Mam Caradog yn dechrau dangos arwyddion o orffwylledd.

Medi 1920-Gorff 1921 (ac yntau rhwng 15.10 ac 16.8)
Blwyddyn 5 yn Ysgol y Sir (1921: *Senior CWB* – Llwyddo).

Medi 1921-Mawrth 1922 (pan oedd rhwng 16.10 a 17.4)
Blwyddyn 6 yn Ysgol y Sir.

Mawrth 3, 1922 (ac yntau'n 17.4 oed)
Gadael Ysgol y Sir, Bethesda.

Mawrth 1922
Dechrau gweithio fel prentis golygydd/is-olygydd efo'r *Herald Cymraeg* yng Nghaernarfon.

1923 (pan oedd tua 18 oed)
Ennill Cadair Eisteddfod Gŵyl Ddewi Tal-y-sarn.
Cyfarfod Eleanor Jones, merch y bu'n ei chanlyn am gyfnod.

1924 (pan oedd tua 19 oed)
Ennill Cadair Eisteddfod Gŵyl Ddewi Tal-y-sarn eto.

1924 (tua)
Dechrau gweithio yn Llanrwst, yn cynrychioli'r *Herald* yno.
Cael ei alw i Fethesda – mynd â'i fam i'r Seilam yn Ninbych.
Yna, cynrychioli *Baner ac Amserau Cymru* yn Llanrwst/Dyffryn Conwy.

1924 (ar ôl Tachwedd 3) (ac yntau'n 20 oed)
Cael triniaeth ar ei lygaid yn Lerpwl.

1926 (tua) (oddeutu 21 oed)
Ennill y Gadair yn Eisteddfod yr Annibynwyr, Llanrwst.
Ennill ambell Gadair mewn eisteddfodau lleol yma ac acw (Eisteddfod Penmachno, er enghraifft; a dod yn ail yn Eisteddfod Pentrefoelas).

Awst 1927 (yn 22.9 oed)
Dal yn Llanrwst. Ennill y Goron yn Eisteddfod Genedlaethol Caergybi am ei bryddest 'Y Briodas' – yr enillydd ieuengaf erioed.

1927 (tua diwedd y flwyddyn) (23 oed)
Symud i weithio ar y *Western Mail* yng Nghaerdydd. Bu yno tan 1934.
Cyfarfod Mattie am y tro cyntaf.

Awst 1928 (23.9 oed)
Ennill y Goron yn Eisteddfod Genedlaethol Treorci am ei bryddest 'Penyd'.

Awst 1929 (24.9 oed)
Ennill y Goron yn Eisteddfod Genedlaethol Lerpwl am ei bryddest 'Y Gân ni Chanwyd'.

Rhwng 1927 a 1933
Dilyn cwrs gradd yng Ngholeg y Brifysgol, Caerdydd. (Yn y coleg yn ystod y dydd, gweithio ar y *Western Mail* yn ystod y nos.)

Mehefin 7, 1933
Priodas Caradog a Mattie.

Haf 1933
Ennill gradd B.A. yng Ngholeg y Brifysgol, Caerdydd.

Chwefror 1934 (ac yntau'n 29 oed)
Gadael y *Western Mail* ac ymuno â'r *News-Chronicle* yn Llundain.

1937 (tua 33 oed)
Cyhoeddi *Canu Cynnar* (Hughes a'i Fab, Wrecsam).

1938
Ei niwrosis yn cyrraedd ei frig a'i ymgais i roi diwedd arno'i hun.

Awst 1938
Beirniadu cystadleuaeth y Goron gyda D. Emrys Evans yn Eisteddfod Genedlaethol Caer-dydd.

1939
Dyfarnu *Terfysgoedd Daear* y gerdd orau am y Goron yn Eisteddfod Dinbych ond nis gwobrwywyd oherwydd nad oedd CP wedi canu ar y testun.
Cyhoeddi *Terfysgoedd Daear* (Gwasg Gee, Dinbych).

Medi 1942 (ac yntau'n 38 oed)
Ymuno â'r Fyddin a'i anfon i Donnington yn Sir Amwythig.

Tachwedd 1942
Cafodd ei symud i Aldershot ac wedi hynny i Lundain.

Awst 1943
Cyhoeddi *'R wyf innau'n filwr bychan* (Gwasg Gee, Dinbych).

Mehefin 1944
Cael ei ryddhau o'r Fyddin a'i anfon i'r India i weithio i'r Swyddfa Dramor.

Mawrth 2, 1946 (41 oed)
Hwylio tuag adref o Bombay a glanio yn Lerpwl.
Dychwelyd i Lundain, gweithio ar y *News-Chronicle* am ychydig.

Rhwng 1946 a 1956
Golygydd *Y Ddinas*, misolyn y Cymry yn Llundain.

1947
Ymuno â'r *Daily Telegraph* yn Is-Olygydd Seneddol.

Awst 11, 1947
Geni Mari Christina, merch Caradog a Mattie.

Awst 1950
Beirniadu cystadleuaeth y Goron gyda T. Eirug Davies a J. M. Edwards yn Eisteddfod Genedlaethol Caerffili.

Awst 1952
Dod yn bedwerydd allan o bedwar yn Eisteddfod Genedlaethol Aberystwyth am ysgrifennu Cerdd Goffa Prosser Rhys.

Mai 1, 1954 (ac yntau'n 49.6 oed)
Bu farw Margaret Jane Prichard, mam CP yn y Seilam yn Ninbych.

[1954]
Cyhoeddi *Awdl Yr Argae*.

Awst 1955
Beirniadu cystadleuaeth y Goron gydag Iorwerth Cyfeiliog Peate a Chynan yn Eisteddfod Genedlaethol Pwllheli.

1957
Cyhoeddi *Tantalus: Casgliad o Gerddi* (Gwasg Gee, Dinbych).

Diwedd y 50au – dechrau'r 60au
Cyfnod yr alcoholiaeth ar ei waethaf.

Medi/Hydref 1958
Symud i'r Tŷ Gwyn yn St John's Wood.

Awst 1960 (yn 55.9 oed)
Beirniadu cystadleuaeth y Goron gyda B. T. Hopkins a Tom Hughes Jones yn Eisteddfod Genedlaethol Caerdydd.

[1961] (yn 57 oed)
Cyhoeddi *Un Nos Ola Leuad* (Gwasg Gee, Dinbych).

Awst 1962 (yn 58.9 oed)
Ennill y Gadair yn Eisteddfod Genedlaethol Llanelli am ei awdl 'Llef un yn Llefain'.

1963
Cyhoeddi *Llef un yn Llefain* (Llyfrau'r Dryw).

1964

Cyhoeddi *Y Genod yn ein Bywyd* (Gwasg Gee, Dinbych).

Awst 1964

Beirniadu cystadleuaeth y Fedal Ryddiaith gyda John Gwilym Jones a Glyn Ashton yn Eisteddfod Genedlaethol Abertawe.

Mawrth 15, 1965 (ac yntau'n 60.4 oed)

Teyrnged Dyffryn Ogwen i Brifeirdd Eisteddfod Genedlaethol Cymru 1961 a 1962.

Chwefror 14, 1966

CP a Howell yn angladd eu cefnder, William John Brown, yn Neiniolen.

Awst 1966

Beirniadu cystadleuaeth y Goron gyda G. J. Roberts a Chynan yn Eisteddfod Genedlaethol Aberafan.

Awst 1968

Yn Eisteddfod Genedlaethol y Barri – cwrdd ag Awen am y tro cyntaf ers dros ddeugain mlynedd.

Tachwedd 1968

Sefyll etholiad i fod yn 'Professor of Poetry' ym Mhrifysgol Rhydychen.

1971

Traddodi anerchiad o flaen Cymdeithas Anrhydeddus y Cymmrodorion yn ystod yr Eisteddfod Genedlaethol ym Mangor. Cyhoeddwyd yr anerchiad dan y teitl *Coronau a Chadeiriau* yn *Trafodion Cymdeithas Anrhydeddus y Cymmrodorion Sesiwn 1970, Rhan II*.

Traddodi Darlith Llyfrgell Bethesda, 1971, a gyhoeddwyd dan y teitl *Y Rhai Addfwyn* (Llyfrgell Sir Gaernarfon).

CP yn un o feirniaid y Goron, gydag Euros Bowen a T. Glynne Davies, yn Eisteddfod Genedlaethol Bangor a'r Cylch.

Ionawr 13, 1972

CP yn cael gwybod am dyfiant canseraidd yn ei wddw.

Mawrth 22, 1972

Cael gwybod ei fod i gael tenantiaeth Bryn Awel, Llanllechid, Bethesda.

Mai 1972

CP yn ymddeol o'i swydd gyda'r *Daily Telegraph*.
Mai 12: Cael llawdriniaeth ar ei wddw.

Medi 9, 1972

Marw Howell, brawd Caradog Prichard, yn Sheffield.

Hydref 1972
Cymanfa Ganu'r Diwygiad yng Nghapel Peniel, Llanllechid, wedi'i threfnu gan Mattie.

Mawrth 31, 1973
Priodas Mari a Humphrey yn Rhydychen.

1973 (ac yntau tua 68 oed)
Cyhoeddi *Afal Drwg Adda: Hunangofiant Methiant* (Gwasg Gee, Dinbych).

1973
Cyhoeddi *Full Moon* (cyfieithiad o *Un Nos Ola Leuad* i'r Saesneg gan Menna Gallie), Hodder and Stoughton. Y cyfieithiad cyntaf o nifer i wahanol ieithoedd.

1979
Cyhoeddi *Cerddi Caradog Prichard: Y Casgliad Cyflawn* (Gwasg Christopher Davies).

Chwefror 25, 1980 (yn 75 oed)
Bu farw Caradog Prichard.

Mawrth 1, 1980
Angladd Caradog Prichard yn Eglwys Glanogwen, Bethesda, gyda'r gladdedigaeth ym Mynwent Eglwys Goffa Robertson yng Nghoetmor.

Mehefin 28-29, 1985
Gŵyl Caradog Prichard yn Ysgol Dyffryn Ogwen, Bethesda.

1991
Ffilm 'Un Nos Ola Leuad' gan Gwmni Gaucho.

Medi 16, 1994
Bu farw Mattie.

ATODIAD 3

LLYFRYDDIAETH DDETHOLEDIG

Addaswyd o waith manylach gan Dafydd Guto Ifan

Cyfieithiadau o waith Caradog Prichard ym maes cerddoriaeth

1. Thomas Vincent: 'Close of Day/Diwedd Dydd'. Y geiriau Saesneg gan Norman Ingram; cyfieithiad Caradog Prichard, Llangollen, 1938; 8t.
2. 'Banwell Hill/Pen y garn'. Y geiriau Saesneg gan Norman Ingram; cyfieithiad Caradog Prichard; Llangollen, 1939; 8t.
3. 'The Lake/Y Llyn'. Y geiriau Saesneg gan Dewi Emrys; cyfieithiad Caradog Prichard, Caerdydd, 1950; 8t.
4. *Music of the Welsh Mountains*. Translation of Songs in E.C. 3137 by Caradog Prichard. Delysé Recording Co., London. Argraffwyd yn y Bala, d.d., 8t.

Barddoniaeth Caradog Prichard

5. Pryddest ar fydr ac odl: 'Y Briodas' yn *Cyfansoddiadau a Beirniadaethau Eisteddfod Genedlaethol Caergybi, 1927*, tt.44-52.
6. *Canu Cynnar*, Wrecsam, 1937; 92t.
7. *Terfysgoedd Daear, sef y bryddest ddi-goron yn Eisteddfod Dinbych, 1939*, Dinbych, 1939; 8t.
8. *Tantalus: Casgliad o gerddi*, Dinbych, 1957; 44 t.; Cyfres 'Canu Cyfoes'.
9. *Awdl yr Argae*, dim manylion cyhoeddi na dyddiad (er y gellid awgrymu 1954), 8t.
10. *Llef un yn Llefain: detholiad o weithiau Caradog Prichard*, Llandybïe, 1963; 90t.
11. *Cerddi Caradog Prichard: Y Casgliad Cyflawn*, Abertawe, 1979; 183t.

Eisteddfodol

12. Pryddest rhwng 400 a 100 o linellau: (a) Peniel (b) y Ferch o'r Scer. *Cyfansoddiadau a Beirniadaethau Eisteddfod Genedlaethol Caerdydd, 1938*; Beirniaid: Caradog Prichard, D. Emrys Evans; Beirniadaethau tt.39-51.
13. Pryddest: (a) Ifor Bach; (b) Y Gaethglud; (c) Difodiant. *Cyfansoddiadau a Beirniadaethau Eisteddfod Genedlaethol Caerffili, 1950*; Beirniaid: Caradog Prichard, T. Eirug Davies, J. M. Edwards; Beirniadaethau tt.104-114.
14. Pryddest: 'Ffenestri'. *Cyfansoddiadau a Beirniadaethau Eisteddfod Genedlaethol Pwllheli, 1955*; Beirniaid: Caradog Prichard, Cynan, Iorwerth Cyfeiliog Peate; Beirniadaethau tt.78-90.
15. Telyneg: 'Y Garreg'. Beirniad: Caradog Prichard. *Cyfansoddiadau a Beirniadaethau Eisteddfod Genedlaethol Caernarfon, 1959*; Beirniadaeth tt.75-78.

16. Pryddest heb fod dros dros 300 llinell: (a) Unigedd; (b) Margam. *Cyfansoddiadau a Beirniadaethau Eisteddfod Genedlaethol Caerdydd, 1960*; Beirniaid: Caradog Prichard, T. Hughes Jones, B. T. Hopkins; Beirniadaethau tt.18-30.

17. Y Fedal Ryddiaith: Nofel. *Cyfansoddiadau a Beirniadaethau Eisteddfod Genedlaethol Abertawe, 1964*; Beirniaid: Caradog Prichard, John Gwilym Jones, Glyn Ashton; Beirniadaethau tt.109-112.

18. Pryddest: Y Clawdd. *Cyfansoddiadau a Beirniadaethau Eisteddfod Genedlaethol Aberafan, 1966*; Beirniaid: Caradog Prichard, Cynan, G. J. Roberts; Beirniadaethau tt.30-34.

19. Pryddest: Dilyniant o gerddi rhydd. *Cyfansoddiadau a Beirniadaethau Eisteddfod Genedlaethol Bangor, 1971*; Beirniaid: Caradog Prichard, Euros Bowen, T. Glynne Davies; Beirniadaethau tt.30-39.

Fel cystadleuydd

20. Pryddest: 'Y Briodas'. *Cyfansoddiadau a Beirniadaethau Eisteddfod Genedlaethol Caergybi, 1927*; Beirniaid: yr Athro W. J. Gruffydd, Robert Williams Parry, Emyr; *Y Belwr Bach* oedd Caradog Prichard; Beirniadaethau tt.31-32; 38-40; 43-44; y Bryddest tt.44-52.

21. Pryddest: 'Penyd'. *Cyfansoddiadau a Beirniadaethau Eisteddfod Genedlaethol Treorci, 1928*; Beirniaid: Gwili, Rhuddwawr, Wil Ifan; Beirniadaethau tt.20-21; 26; 33-34; *Un heb obaith* oedd Caradog Prichard; y Bryddest tt.35-44.

22. Pryddest: 'Y gân ni chanwyd'. *Cyfansoddiadau a Beirniadaethau Eisteddfod Genedlaethol Lerpwl, 1929*; Beirniaid: yr Athro W. J. Gruffydd, Wil Ifan, Gwili; Beirniadaethau: tt.36-72; *O'r Gilfach* oedd Caradog Prichard; y Bryddest tt.72-79.

23. Pryddest: 'Terfysgoedd Daear'. *Cyfansoddiadau a Beirniadaethau Eisteddfod Genedlaethol Dinbych, 1939*; Beirniaid: T. H. Parry-Williams, J. Lloyd Jones; Beirniadaethau: tt.49-51; tt.64-65; neb yn deilwng; *Pererin* oedd Caradog Prichard.

24. Awdl: 'Llef un yn Llefain'. *Cyfansoddiadau a Beirniadaethau Eisteddfod Genedlaethol Llanelli, 1962*; Beirniaid: Syr Thomas Parry-Williams, Brinley Richards, T. Llew Jones; Beirniadaethau: tt.4-5; 19-20; 33; *Idris* oedd Caradog Prichard; yr Awdl, tt.34-36.

Rhyddiaith Caradog Prichard

25. *'Rwyf Innau'n Filwr Bychan,* gan Pte. P. (sef Caradog Prichard), Dinbych, Cyfres Llyfrau Pawb, 1943; 56t.; dyddiadur milwr Ail Ryfel Byd, sef yn ystod y blynyddoedd 1939-1945.

26. *Un Nos Ola Leuad,* Dinbych, 1961; 184 t.; cyfrol a gyfieithwyd i ieithoedd eraill yn Ewrop; cyhoeddwyd hefyd yn y flwyddyn 1988 gan Wasg Gwalia, Caernarfon, gyda lluniau o eiddo Rwth Jên Ifans; 205t.

27. *Y Genod yn Ein Bywyd,* Dinbych, 1964; 180t.; arg. newydd, Dinbych, 1988; 180t.

28. *Y Rhai Addfwyn: Atgofion Lleol am Ardal Bethesda,* Llyfrgell Sir Gaernarfon, 1971, 24t.

29. *Afal Drwg Adda: Hunangofiant Methiant*, Dinbych, 1973; 204t.

Erthyglau Caradog Prichard

30. 'Coronau a Chadeiriau', *Trafodion Anrhydeddus Gymdeithas y Cymmrodorion, 1970*; tt.299-314; anerchiad a draddodwyd yn ystod yr Eisteddfod Genedlaethol ym Mangor, Awst 5, 1971. Adarg. gan Wasg Gee o'r *Trafodion, Sesiwn 1970, Rhan II*.
31. 'Newyddiadurwr: Caradog Prichard', *Y Gwrandawr*, Mehefin 1971, t. iii, yn *Barn* (104), Mehefin 1971; atgofion ganddo fel newyddiadurwr.
32. 'Cael fy Nghoroni', *Y Ford Gron*, 1/10, Awst 1931, tt.9 a 24.
33. 'Gymru, na'm Gollyngi Fyth!', *Y Ford Gron*, 5/11, Medi 1935, t.244; profiadau alltud o Gymro.
34. 'Edward Prosser Rhys – er cof', *Y Cardi* (12), Haf 1974 tt.7-9; ymdrinnir â barddon-iaeth Edward Prosser Rhys (1901-1945).
35. 'J. O. Williams', *Y Genhinen* (23), Haf 1973, tt.136-137; cyhoeddwyd yn wreiddiol yn y *North Wales Weekly News*; atgofion.
36. 'Teuluoedd teip', *Y Genhinen* (23), Hydref 1973, tt.171-174; olrhain llinach; gwerth-fawrogi'r gorffennol.
37. '*Wil Hopcyn a'r Ferch o Gefn Ydfa* – Brinley Richards', *Y Genhinen* (28), Gwanwyn 1978, tt.49-50; adolygiad.

Astudiaethau

38. AP GWILYM, Gwynn, '*Cerddi Caradog Prichard – Y Casgliad Cyflawn*', Abertawe, 1979, *Barddas* (41), Mai 1980, tt.6-7.
39. ASHTON, Glyn, 'Cynghanedd Caradog Prichard', *Lleufer* (19/2), Haf 1963, tt.63-66.
40. BAINES, Menna, 'Ffaith a dychymyg yng ngwaith Caradog Prichard'. Traethawd M.Phil. Cymru: Prifysgol Bangor, 1992.
41. BAINES, Menna, 'Bydoedd Caradog Prichard: Caradog Prichard 1904-80', *Taliesin* (123), Gaeaf 2004, tt.65-71.
42. BEVAN, Hugh, '*Llef un yn Llefain*', *Taliesin* (8), 1964, tt.102-104; adolygiad.
43. BOWEN, Euros, 'Y syniad am ddyn ym marddoniaeth Cymru', *Baner ac Amserau Cymru*, Chwefror 9, 1961, t.3, col. 2-3; *Baner ac Amserau Cymru*, Chwefror 16, 1961, t.3, col.1.
44. ETHALL, Huw, 'Offeiriad, ond heb ei ordeinio', *Barddas* (158), Mehefin 1990, tt.21-22.
45. EVANS, Elsbeth, 'Barddoniaeth Mr Caradog Prichard', *Y Llenor* (21/4), Gaeaf 1942, tt.13-125; *Y Llenor* (22/1-2), Gwanwyn-Haf 1942, tt.19-26.
46. GRUFFYDD, William John, Sylwadau ar y bryddest 'Penyd', *Y Llenor* (7/3), Hydref 1928, tt.189-192; adolygiad.
47. JONES, D. Llewelyn, 'Bardd heb gymod â bywyd', *Yr Eurgrawn* (130/4), Ebrill 1938, tt.154-157; adolygir *Canu Cynnar*, Caradog Prichard.
48. JONES, Dafydd Glyn, *Dyrnaid o Awduron Cyfoes*, (Gol.) D. Ben Rees, Lerpwl, 1975, tt.191-222; cynhwysir llyfryddiaeth.
49. JONES, Gwilym R., 'Synnwyr a pherseinedd Caradog Prichard', *Barddas* (85), Mai 1984, tt.4-5.
50. JONES, Harri Pritchard, 'Caradog Prichard', *Taliesin* (87), Hydref 1994, tt.59-79; trafodir ei weithiau llenyddol.

51. JONES, Robert Gerallt, 'Canu Cyfoes' yn *Ansawdd y Seiliau ac Ysgrifau Eraill*, Llandysul, 1972, tt.133; cyhoeddwyd yn wreiddiol yn y flwyddyn 1958; ymdrinnir â'r gyfrol *Tantalus: Casgliad o gerddi*, Dinbych, 1957.

52. LEWIS, Saunders, 'Y Briodas: Dehongliad. Cyflwynedig i Garadog Prichard', *Meistri a'u crefft*, Caerdydd, 1981, tt.4-8; cyhoeddwyd yn flaenorol yn *Y Llenor* (6/4), Gaeaf 1927, tt.206-212.

53. LLWYD, Alan, *Barddoniaeth y Chwedegau. Astudiaeth Lenyddol-hanesyddol.* Cyhoeddiadau Barddas, Caernarfon, 1986, tt.191, 195, 199-201, 204, 229, 261-263, 273.

54. LLWYD, Alan, 'Gwallgofrwydd Arglwyddes Hardd', Pryddestau Eisteddfodol Caradog Prichard: 1. 'Y Briodas': 1927, *Taliesin* (112), Haf 2001, tt.72-91; 2. 'Penyd': 1928, *Taliesin* (113), Hydref 2001, tt.80-92; 3. 'Y Gân ni Chanwyd': 1929, *Taliesin* (114), Gwanwyn 2002, tt.93-115.

55. LLWYD, Alan, *Rhyfel a Gwrthryfel: Brwydr Moderniaeth a Beirdd Modern*, Cyhoeddiadau Barddas, 2005; astudiaeth arloesol ar farddoniaeth Caradog Prichard.

56. MORGAN, Mihangel, *Caradog Prichard*, Caernarfon, 2000; Cyfres Llên y Llenor, (Gol.) J. E. Caerwyn Williams; 65t.; llyfryddiaeth.

57. MORGAN, T. J., 'Canu cynnar Caradog Prichard', *Y Llenor* (16/4), Gaeaf 1937, tt.251-256; adolygiad o'r gyfrol *Canu Cynnar.*

58. OWEN, Hawys Melangell, 'Barddoniaeth Caradog Prichard', Traethawd M.A., Prifysgol Cymru, Bangor, 1994.

59. PARRY, Thomas, *Llenyddiaeth Gymraeg 1900-1945*, (Gol.) E. Tegla DAVIES. Lerpwl, 1945, tt.23-24; Cyfres Pobun Rhif 8; ymdrinnir â'r bryddest 'Y Briodas'.

60. PARRY, Thomas. *Hanes ein Llên: Braslun o Hanes Llenyddiaeth Gymraeg o'r Cyfnodau Bore hyd Heddiw.* Caerdydd, 1948, t.95; Cyfres y Brifysgol a'r Werin, Rhif 22.

61. STEPHENS, Meic (Gol.), *Cydymaith i Lenyddiaeth Cymru*, Caerdydd, 1986, t.483; a.a. 1997 t.599.

62. TILSLEY, Gwilym R., 'Llef un yn Llefain', *Lleufer* (19/4), Gaeaf 1963, tt.205-206; adolygiad.

63. TILSLEY, Gwilym R., 'Tantalus', *Lleufer* (14/1), Gwanwyn 1958, t.42; adolygiad.

64. TILSLEY, Gwilym R., 'Cerddi Caradog Prichard – Y Casgliad Cyflawn', *Llais Llyfrau*, Gwanwyn 1980, tt.29-30.

Astudiaethau o Weithiau Rhyddiaith Caradog Prichard

Afal Drwg Adda: Hunangofiant Methiant

65. ERFYL, Gwyn, 'Methiant', *Taliesin* (27), Rhagfyr 1973, tt.143-146; adolygiad.

66. EVANS, R. Wallis, *Lleufer* (26/3), Haf 1974, tt.48-49; adolygiad.

67. GWYNN, Harri, *Y Traethodydd* (129), Hydref 1974, tt.298-300; adolygiad.

68. MORGAN, Dyfnallt, *Lleufer* (25/4), Gaeaf 1974, t.60; adolygiad.

69. WILLIAMS, John Roberts, 'Ffrwyth y Fflyd', *Barn* (131), Medi 1973, t.508; adolygiad.

'R wyf Innau'n Filwr Bychan (gan Pte. P.)

70. LEWIS, Saunders, 'Llyfrau'r Dydd', *Baner ac Amserau Cymru* (101/1), Awst 25, 1943, t.2 col.3; adolygiad.

Un Nos Ola Leuad

71. BAINES, Menna, 'Un Nos Ola Leuad: Y nofel a'i hawdur' (1), *Barn* (348/349), Ionawr-Chwefror 1992, tt.43-45; (2), *Barn* (350), Mawrth 1992, tt.21-22; (3), *Barn* (351), Ebrill 1992, tt.19-21; (4), *Barn* (352), Mai 1992, tt.19-21; (5), *Barn* (353), Mehefin 1992, tt.22-24.

72. BAINES, Menna, 'Byd â'i ben i lawr: llythyrau hunllef Caradog Prichard', *Golwg* (3/34), Mai 8, 1991, tt.15-18.

73. BAINES, Menna, *Yng Ngolau'r Lleuad: Ffaith a Dychymyg yng Ngwaith Caradog Prichard*, Gomer, 2005.

74. BROOKS, Simon, 'La Mort de Bethesda', *Tu Chwith* (1), Ebrill/Mai 1993, tt.14-28; dadleuir mai dinas Llundain ac nid Bethesda yw cefndir *Un Nos Ola Leuad*.

75. DAVIES, Pennar, '*Un Nos Ola Leuad*', *Taliesin* (4), 1962, tt.99-100; adolygiad.

76. JONES, Bobi, 'Eiddo y cyfryw rai . . .', *Barn* (69), Gorffennaf 1968, tt.234-236; sylwadau ar *Un Nos Ola Leuad*; cyfres 'Rhyddiaith wedi'r Rhyfel'.

77. JONES, Dafydd Glyn, 'Rhai storïau am blentyndod', *Ysgrifau Beirniadol* (9), (Gol.) J. E. Caerwyn Williams, Dinbych, 1976, tt.255-273.

78. JONES, Harri Pritchard, '*Un Nos Ola Leuad*', *Taliesin* (63), Gorffennaf 1988, tt.9-14.

79. JONES, R. Maynard (Bobi), 'Gwallgofrwydd a Hunanladdiad', *Llenyddiaeth Gymraeg 1902-1936*, Llandybïe, 1987, tt.277-283.

80. JONES, R. Maynard (Bobi), 'Eiddo y cyfryw rai . . .', *Llenyddiaeth Gymraeg 1936-1972*, Llandybïe, 1975, tt.271-278.

81. LLYWELYN, Emyr. 'Brenhines y Llyn: seicoleg a mytholeg', *Golwg* (4/9), Hydref 31, 1991, tt.18-19.

82. LLYWELYN, Emyr, 'Oedipus a Jini Bach Pen Cae *Un Nos Ola Leuad*', *Golwg* (4/10), Tachwedd 7, 1991, t.13.

83. PARRY-JONES, Tom, *Lleufer* (18/1), Gwanwyn 1962, tt.47-48; adolygiad.

84. PRICE, Angharad, 'Rhwng Du a Gwyn', *Agweddau ar Ryddiaith Gymraeg y 1990au*, (Gol.) John ROWLANDS, Caerdydd, 2002, tt.27; 125; 138; 141; 147.

85. ROWLANDS, John, 'Y fam a'r mab: rhagarweiniad i *Un Nos Ola Leuad*', *Ysgrifau Beirniadol* (19), (Gol.) J. E. Caerwyn Williams, Dinbych, 1993, tt.278-309.

86. ROWLANDS, John, *Agweddau ar y Nofel Gymraeg gyfoes*, Caerdydd, 1992, tt.246-247; 257-261.

87. ROWLANDS, John (Gol.), *Y Meddwl a'r Dychymyg Cymreig: Golwg ar ffurfafen y Nofel Gymraeg Ddiweddar*, Caerdydd, 2000, t.19; t.49; t.216.

88. WILLIAMS, Gerwyn (Gol.), *Rhyddid y Nofel*, Caerdydd, 1999.

89. WILLIAMS, Ioan, 'Campwaith o blith nofelau: *Un Nos Ola Leuad. Y Nofel*', Llandysul, 1984, tt.54-56.

Y Genod yn Ein Bywyd

90. EVANS, G. G., *Lleufer* (20/3), Hydref, 1964, tt.151-152; adolygiad.

Erthyglau Bywgraffyddol

91. 'Marw Caradog Prichard', *Yr Herald Cymraeg*, Mawrth 4, 1980, t.9, col.7-8.

92. HUGHES, John Elwyn, 'Stori Caradog', *Yr Herald Cymraeg*, Mawrth 4, 1980, t.8, col.3-6.

93. HUGHES, John Elwyn, 'Caradog Prichard', *Llais Ogwan* (Rhifyn 64), Mawrth 1980, t.16; yn dilyn yr erthygl, ceir manylion am gynhebrwng Caradog Prichard yn Eglwys Glanogwen, a mynwent Eglwys Goffa Robertson yng Nghoetmor, Bethesda.

94. JONES, O. Alon, 'Dyddiau Caradog', *Yr Herald Cymraeg*, Mawrth 11, 1980, t.8, col. 3-6; atgofion amdano'n newyddiadura.

95. M.E., 'Caradog Prichard', *Y Llan* (23/5), Mawrth 7, 1980, t.1.

96. PARRY, Thomas, Caradog Prichard, *Y Faner*, Mawrth 14, 1980, t.4.

Barddoniaeth a ysgrifennwyd am Caradog Prichard

97. AETHWY, Elis, 'Colli O. M. Lloyd, Tom Parri-Jones, Caradog Prichard', *Barddas* (38), Chwefror 1980, t.1; englyn.

98. AETHWY, Elis, 'Caradog Prichard', *Barddas* (38), Chwefror 1980, t.4; englyn.

99. MORRIS, Dafydd, 'Caradog Prichard', *Llais Ogwan* (340), Tachwedd 2004, t.274; cywydd.

100. OWEN, Elina, Bethesda, 'I gofio Caradog Prichard', *Y Faner*, Mawrth 14, 1980, t.20; cerdd yng ngholofn 'Dau Fardd – dau gyfnod' dan ofal Eirian Davies.

Mynegai
o'r Prif Destun ac Atodiadau 1 a 2
(Yn bennaf: Pobl, Llefydd a Digwyddiadau)

Abdul, 99, 100

Abergwaun, 143

Aberystwyth, 70-72, 143

Academi Gymreig, Yr, 168

Aethwy, Elis, 159-161

Afal Drwg Adda – Hunangofiant Methiant, 5-9, 16, 18, 21, 24, 27, 32, 35, 36, 38, 46, 50, 64, 65, 68, 71-73, 77, 79, 89, 90, 92, 96-99, 101, 108, 111, 122, 128, 138, 146, 151, 157, 160, 161, 163, 166, 182

Afon Gaseg, 26

Afon Ogwen, 9, 74, 76, 139

Agnes a Howell Jones, 143

Aldershot, 93, 179

All India Radio, 98

Almaeneg, 131

Alun John Sam (Alun Ogwen). Gw. Williams, Alun Ogwen

Amana (A), 6

America/Unol Daleithiau, 10, 11, 74

Amwythig, 92, 143, 179

Ann Ffrancon, 169

Anti Elin (yn *Un Nos Ola Leuad*), 131, 141

Anti Jên. Gw. Pritchard Jane (Jên) (chwaer tad CP)

Arfon House, 63

'Argae, Yr'. Gw. *Awdl yr Argae*

Arglwydd Faer Caerdydd, 84

Arglwydd Penrhyn, 1, 13, 16, 20, 24

Arthur Tan Bryn, 131

Ashton, Glyn, 137, 181

Atgofion Dyn Papur Newydd, 80

Atkins, Harold, 116

Atwood, Elizabeth, 11, 175

Auden, W. H., 163

Awdl Yr Argae, 121, 124, 180

Awelon, 35

Awen. Gw. Williams, Awen

Awstralia, 9

Bae Colwyn, 48

Bailey, Miss A. H., 37

Baines, Menna, 131

Bala, Y, 35, 143

Baldwin, Stanley, 83

Baner ac Amserau Cymru (Y Faner), 8, 9, 64-66, 69, 77, 145, 178

Bangor, 4, 6, 7, 19, 27, 47, 51, 60, 73, 138, 142, 143, 147, 150

Barry, 79

Beaumaris, 5

Belg, 120

Ben, Benji, Benjy, Benjamin (y pwdl), 144, 150, 153-155, 164

Ben Fardd. Gw. Jones, Ben

Berwyn. Gw. Morris-Jones, Berwyn

Bet, 70

Betws y Coed, 63, 143

Bethan. Gw. Morris-Jones, Bethan

Bethel, 50, 51, 138, 144

Bethesda, 1-3, 5-11, 15, 18, 22, 23, 25, 27, 29, 31, 32, 34, 36, 37, 40, 44, 46-52, 60, 67, 76, 91, 96-98, 101, 124-126, 130, 131, 137, 139, 141, 143, 146-148, 152, 161, 163, 166, 168-171, 177, 178, 181

Bethesda (A), 18, 139

'Bethesda Comrades', 147

Blaenau Ffestiniog, 64, 143

Blodwen, 34

Blw Bel, Y, 131

Bob Bach Sgŵl, 27, 28, 131, 177

Bombay, 111, 179

Bont, Y, 58

Bontnewydd, Y, 45, 46

Bontuchaf, Y, 34, 35, 177

Bowen, Euros, 150, 181

Boyne, Harry, 114

bradwr/bradwyr, 18, 19, 20, 76, 151

Braichmelyn, 161

Brighton, 114

'Briodas, Y', 73, 74, 84, 178

British Rail, 119

Britten, Benjamin, 163

Brithdir Street, 88

Bro Dawel, 149

Brown, Griffith H., 174

Brown, Kate, 174

Brown, Maggie E., 174